LE CHOC DES PATOIS EN NOUVELLE-FRANCE

Essai sur l'histoire de la francisation au Canada

Philippe BARBAUD

LE CHOC DES PATOIS EN NOUVELLE-FRANCE

Essai sur l'histoire de la francisation au Canada

1984
Presses de l'Université du Québec
C.P. 250, Sillery, Québec   G1T 2R1

ISBN 2-7605-0330-5

Dépôt légal — 2e trimestre 1984
Bibliothèque nationale du Québec
Bibliothèque nationale du Canada
Imprimé au Canada

*À mes parents qui ont su
vaincre le choc des patois.*

Table des matières

Liste des tableaux

Liste des figures

Avant-propos

Ne serait-ce que pour combler un vide étrange, ce livre méritait d'être écrit. L'histoire du français en terre d'Amérique ne se voit guère créditée d'une littérature abondante même si le fabuleux *Choc des langues 1760-1975* de Guy Bouthillier et Jean Meynaud donne l'impression du contraire.

Peut-être en définitive, a-t-on estimé que notre langue maternelle, le français du Canada, a depuis toujours uni sa destinée au français national de nos cousins de France? Quoi qu'il en soit, ce livre est d'abord une tentative de démystifier voire, de démocratiser, une question «d'intérêt public» jusqu'à présent débattue entre savants de toutes sortes. Après tout, la langue française ne fait-elle pas désormais partie de notre «patrimoine national» comme l'a proclamé la *Loi sur la langue officielle* sanctionnée par l'Assemblée nationale du Québec en juillet 1974?[1]

J'ai voulu ensuite adopter une conduite scientifique qui ne soit pas trop rébarbative. Il est vrai que l'étude scientifique de la langue a vite fait de larguer le commun des mortels dans les impasses, les labyrinthes et les dérives auxquels peut mener cet objet pourtant familier. Mais la langue française n'est pas appréhendée dans ce livre en tant que code intériorisé dans la compétence linguistique du sujet parlant mais plutôt en tant que pratique linguistique en concurrence avec d'autres. Car le sujet

---

1. Dite aussi *Loi 22*, celle-ci est maintenant remplacée par la *Charte de la langue française* ou *Loi 101*, sanctionnée en août 1977. Il est intéressant de relever que le caractère «légataire» de notre langue s'y voit supprimé au profit du caractère légitime associé à la langue de l'État et de la Loi.

parlant que fut l'habitant de la Nouvelle-France n'a pu nous léguer plus que le personnage historique qu'il est à nos yeux. Ce ne sont par conséquent ni les faits de langue ni les faits de norme qui captent l'attention mais bien les faits de parole tels qu'ils se sont réalisés dans les usages et les idiomes d'une époque révolue.

Mais parce qu'ils partagent avec l'homme moderne d'Alvin Toffler leur attribut de sujet parlant, tous ces défricheurs et toutes ces pionnières d'un autre âge ont su, à leur manière, mener «la lutte préventive contre le choc du futur» tant il est vrai que l'éphémère se nourrit d'immanence. Ces hommes et ces femmes presque anonymes de la Nouvelle-France fournissent une preuve supplémentaire que le locuteur est un être qui s'adapte. Aussi, lorsqu'ils ont décidé d'opter pour le patois du pays de l'Île-de-France au détriment d'un autre, fût-il leur «langue maternelle», la majorité de nos ancêtres ont parachevé une entreprise fondamentalement révolutionnaire, amorcée lorsqu'ils ont rompu toute attache avec le sol de la Vieille France.

En terminant, je dois ajouter que malgré l'option délibérée de raccrocher mes préoccupations de Québécois à une tradition intellectuelle plus française et européenne que nord-américaine, je consens volontiers à me plier à la convention bien anglo-saxonne de remercier ceux qui ont facilité la réalisation de cet essai. Je mentionnerai tout d'abord le Gouvernement du Québec et l'Université du Québec à Montréal. L'un comme l'autre, soit au titre de la coopération franco-québécoise soit à celui de cette institution typiquement nord-américaine du «congé» sabbatique, m'ont accordé des conditions de travail privilégiées. Je suis redevable en second lieu à l'École des Hautes Études en Sciences Sociales de m'avoir laissé toute la latitude désirable durant l'année que j'ai passée dans cette institution à titre de directeur d'études associé.

Enfin les commentaires perspicaces, consécutifs à la lecture du manuscrit, que Charles Castonguay a eu la gentillesse de m'écrire, m'ont permis de procéder à certains ajustements fort judicieux. Il a droit à toute ma reconnaissance, ce qui n'équivaut pas à un blanc-seing de sa part quant au contenu de cet ouvrage.

Philippe Barbaud

Voisins-le-Bretonneux (France)   Montréal-nord (Québec, Canada)
1er mars 1982   26 juillet 1983

INTRODUCTION

Pour une phénoménologie historique du parler canadien-français

Ce que certains intellectuels québécois ont coutume d'appeler «le fait français en Amérique du Nord» ne laissera jamais d'étonner et de captiver l'observateur des phénomènes sociaux. Le *fait français* est en soi un phénomène, de nature linguistique bien entendu, mais aussi, personne ne le niera, de nature culturelle, sociale, religieuse et idéologique.

Il y a certes quelque chose de phénoménal dans le destin du fait français au Québec principalement, qui est évidemment lié à celui du peuple canadien-français et peut-être un jour de la nation québécoise, et qui tient à ce que son existence n'est pas irrémédiablement soumise à l'ordre qui régit l'Amérique du Nord contemporaine.

Cet essai a donc l'ambition de faire le point sur la question historique de notre langue, le français du Canada, envisagée sous un angle externe c'est-à-dire en relation avec les facteurs conjoncturels qui ont présidé à son avènement.

Bien que perpétuellement soumis au siège de la langue anglaise depuis la fatidique Conquête de 1763, le parler canadien-français ne s'est pas toujours fortifié dans le combat que livre sans relâche notre conscience nationale depuis l'époque où s'est produit ce premier traumatisme collectif. Il a dû d'abord se réaliser en tant que LANGUE MATERNELLE de tout un peuple. Là réside, à mon avis, ce qui justifie l'élaboration d'une phénoménologie de notre langue c'est-à-dire une description de la structure sous-jacente des forces externes qui ont défini le caractère maternel du parler des habitants du Canada.

Et parce qu'on ne saurait comprendre le phénomène de l'avènement de notre langue maternelle sans remonter le cours du temps jusqu'à l'époque héroïque du peuplement de la Nouvelle-France, on admettra qu'il faille attribuer à cette entreprise une dimension historique complémentaire de la dimension proprement linguistique.

Nouveau regard sur une vieille question

En me proposant de faire enquête sur la conjoncture historico-linguistique qui a engendré notre parler au temps du «Canada des Habitans», je ne fais que reprendre en réalité un thème passablement usé. L'origine de la formation de notre «parlure» comme aime à le dire Victor Barbeau, a tout d'une énigme scientifique presque séculaire qu'ont tenté de résoudre de nombreux spécialistes. Faut-il aujourd'hui la considérer comme définitivement clarifiée? Pas le moins du monde, comme on le verra. Je peux témoigner qu'il s'agit à tout le moins d'une question à controverse. Il n'est pas vain, en conséquence, que de tenter de poser un regard neuf sur une préoccupation aussi vénérable.

Suffit-il simplement, je vous le demande, d'invoquer le peuplement du Canada par des immigrants venus presque tous de France au dix-septième siècle, pour rendre compte ou expliquer la survivance de la langue française en Amérique du Nord?[1]

Pourtant naturelle et commode, cette réponse demeure insatisfaisante aux yeux du linguiste que je suis. La raison en est simple: l'immigrant du dix-septième siècle n'était pas forcément un sujet parlant français. Une telle mise en doute prend d'autant plus de relief que personne jusqu'à présent n'a correctement répondu à cette question banale et pourtant capitale: quelle sorte de locuteurs natifs nos ancêtres français furent-ils?

---

1. Traditionnelle explication, qui règle d'un trait de plume le cas de la francisation au Canada. Elle se voit toujours véhiculée par cette brève allusion de Jean-Pol CAPUT [20] entre autres, qui écrit à propos de la diffusion du français à l'étranger au dix-septième siècle que «...les calvinistes persécutés en France portent le français au Pays-Bas, tandis que les paysans et les autres émigrants partis au Canada y transportent notre langue» [20:179].

Comme cela est loin d'être définitivement établi, c'est l'un des objectifs de cet ouvrage que de tirer au clair ce point de discussion une fois pour toutes. Qu'il suffise pour l'instant de savoir qu'à peine *le tiers* de nos ancêtres, comme je le montrerai, pouvaient se prévaloir du statut de véritables «sujets parlants françoys»[2].

Dans un célèbre rapport soumis en 1794 à la Convention nationale, son auteur, l'abbé Henri-Baptiste Grégoire, dont il sera plus amplement question au chapitre III, faisait l'estimation suivante de la population de langue françoyse:

> On peut assurer sans exagération qu'au moins six millions de Français, surtout dans les campagnes, ignorent la langue nationale; qu'un nombre égal est à peu près incapable de soutenir une conversation suivie; qu'en dernier résultat, le nombre de ceux qui la parlent n'excède pas trois millions, et probablement le nombre de ceux qui l'écrivent correctement encore moindre.
>
> [57:293]

Une citation aussi notoire que fréquente doit être néanmoins replacée dans le contexte de la population française de la même époque que l'on estime, à la lumière de récents travaux démographiques, légèrement supérieure à 28 millions d'habitants DUPÂQUIER [46]. Il n'en demeure pas moins que la proportion mise de l'avant par Grégoire établit qu'à peine un habitant sur cinq est un sujet parlant françoys à part entière[3].

---

2. Les preuves que j'apporte dans le dernier chapitre de cet ouvrage contredisent ouvertement l'opinion courante que l'on retrouve formulée, par exemple, dans SEGUIN [100]. S'appuyant sur F. Brunot, l'auteur présente ainsi le développement de la langue française hors d'Europe:

> Au Canada se développe normalement ce que Adjutor Rivard appelait un *parler régional*, dont l'évolution au XVIIe siècle a été comparable avec la francisation et le bilinguisme de la campagne française: au XVIIIe siècle, l'unité s'est réalisée d'un franco-canadien, non tant grâce à l'école ou aux livres qu'à cause de la prédominance des colons francisants sur les patoisants et de la dispersion des patois importés qui leur sera fatale.
> [100:21]

Il s'ensuit que même si la dispersion des patois importés fut un facteur favorable à la francisation, c'est une erreur de croire que la francisation du Canada a été le fait d'une supériorité numérique des sujets parlants françoys. Ce résultat ajoute de l'intérêt à la question subséquente: comment une minorité de colons francisants est-elle parvenue à assimiler la masse des autres colons?

3. Dans CALVET [17:110] l'auteur fait grimper cette proportion à deux cinquièmes. Rien, à mon avis, ne justifie dans le texte de Grégoire la démonstration qu'il fournit à l'appui de cette autre estimation des masses parlantes.

Lorsque j'utilise les termes de «parler françoys» et de «français» proprement dit, c'est pour bien marquer aux yeux du lecteur le clivage profond qui s'est instauré dans la pratique linguistique du dix-septième siècle. Ainsi, je distingue les vieux parlers *ordinaires* de l'Île-de-France, qui appartenaient à un dialecte en usage à l'intérieur d'un territoire somme toute restreint qui rayonnait de Paris au temps de l'Ancien Régime, et le parler *protocolaire* de la noblesse auquel s'est assimilée très tôt la langue dite «classique» et plus tard, la langue dite «nationale» ou même «universelle» au fil des monarchies, des républiques et des empires.

Or ces parlers ordinaires de nos ancêtres françoys et bien davantage ceux de nos ancêtres non-françoys relevaient d'un usage linguistique fort peu ressemblant à celui qui permit d'édifier la «géniale» langue française, celle-là même dont s'est si admirablement bien servie cette artiste du verbe qu'est Michèle Lalonde pour ouvrer sa *Deffence et Illustration de la Langue Quebecquoyse*[4]. Qu'il suffise, pour s'en convaincre, de parcourir l'œuvre de Vadé, écrite en 1755, ou mieux, celle de Gile Vaudelin, écrite en 1713, soit plus de 100 ans après le début de la colonisation[5].

Toujours est-il que la France du dix-septième siècle, gardons-le à l'esprit, n'était en réalité qu'une espèce de montage dialectal dans lequel chaque région — disons pour simplifier, chaque ancienne province — se caractérisait par un parler suffisamment marqué pour qu'il rende difficile, voire impossible, toute conversation suivie entre, par exemple, un Français de Picardie et un Français d'Auvergne ou entre un Français du Poitou et un Français de Lorraine. Ce montage dialectal fut d'ailleurs longtemps tributaire de cette variété incroyable de «pays» qui pendant des siècles a morcelé l'exploitation du sol à l'intérieur même du royaume de France. Nous sommes redevables à ce grand spécialiste du parler rural que fut Albert

---

4. Texte publié pour la première fois en 1973 dans la revue *Maintenant* et réédité récemment. Voir LALONDE [*67*].

5. Auteur-compositeur et chansonnier, Vadé a écrit plusieurs pièces dont le texte imitait intentionnellement le langage des Parisiens de la Cour des Halles. Quant à Vaudelin, il s'est appliqué à retranscrire phonétiquement le français parlé du début du dix-huitième siècle, ce qui nous donne une bonne idée de ce qu'a pu être l'usage de ce dialecte le siècle précédent. Pour plus de détails, voir SEGUIN [*100*:27 et ss].

Dauzat[6] de s'être méthodiquement employé à parcourir tous ces pays afin d'y recueillir une masse de données sur les quelque 636 patois différents qu'il a inventoriés. Ces parlers ordinaires du dix-septième siècle, on les désigne maintenant par le vocable de «patois» parce qu'ils sont tenus de nos jours pour des réalités folkloriques. Mais pour les habitants de la Nouvelle-France, à quelle réalité le patois[7] correspond-il?

Aussi surprenant que cela puisse paraître, il n'a jamais été fait de *démonstration* comme telle de la diversité des patois en France à l'époque de la colonisation du Canada. Ceux qui se sont penchés sur le problème de la langue parlée par nos ancêtres se sont vus crédités d'une opinion favorable à l'autorité de leurs affirmations. Pourtant, il est même contesté à l'heure actuelle qu'il était difficile voire impossible à des locuteurs de dialectes ou de patois différents de se comprendre mutuellement[8].

6. L'ouvrage de Dauzat [*37*] sur les patois de France est une œuvre magistrale d'envergure dont l'empirisme compense avantageusement le «déviationisme idéologique» dont il est victime par rapport à une soi-disant objectivité scientifique de la linguistique, ce qui lui vaut le qualificatif de «terrible» que Lambert-Félix Prudent [*94*] lui attribue.

7. Il n'est nullement question dans ce livre de relancer la vieille querelle sur la différence qui existe entre une langue, un dialecte et un patois. Comme nous le fait constater Mario Pei [*88*] , il est impossible de parvenir à une définition satisfaisante de ces trois termes. On consultera entre autres, Dauzat [*37*], Fourquet [*50*], Guiraud [*58*], Warnant [*108*] ainsi que le dictionnaire Ducrot & Todorov [*43*].

Il convient néanmoins de faire une mise en garde relative à l'optique qui est adoptée dans cet essai. La notion de «langue» opposée à celle de «parole» en termes saussuriens, se trouve exclue de notre problématique dans la mesure où seuls, l'usage et la pratique linguistique par un sujet parlant quelconque sont pris en considération. Dans un contexte exclusif de communication orale à une époque bien précise de notre histoire, il n'y a que le critère de l'absence totale d'intercompréhension qui s'avère pertinent à la détermination d'un dialecte. Le critère de l'intercompréhension partielle quant à lui détermine quelles sont les variantes à l'intérieur d'un même dialecte.

Dans ces conditions, toute pratique linguistique relève nécessairement d'un dialecte particulier qui comporte habituellement un certain nombre de variantes que l'on désigne ici par les vocables «d'idiomes», de «patois» et même, de façon générale, de «parlers».

Le choix d'une telle optique, décidément pragmatique, se justifie à mes yeux du moins, par une dominante historique qu'il importe de toujours garder à l'esprit à savoir que les pratiques linguistiques sont encore au dix-septième siècle sous l'emprise culturelle de la *tradition orale* héritée du Moyen-Âge. Il n'y a donc aucune pertinence dans notre problématique à distinguer entre langue bretonne et dialecte picard, par exemple, puisqu'il s'agit de deux pratiques dialectales distinctes. Il n'est pas plus contradictoire alors de parler de l'usage du breton, du basque ou du gascon par les locuteurs du dix-septième en termes d'idiomes ou de patois.

8. Voir plus loin, chapitre I, pp. 34 et ss.

Cet essai se propose donc *d'authentifier* la situation linguistique de la France au dix-septième siècle afin d'établir avec le plus d'objectivité possible si oui ou non les immigrants originaires des diverses provinces françaises que furent nos ancêtres ont dû affronter le «choc des patois».

C'est la raison pour laquelle tout le chapitre deuxième est consacré à une tentative systématique — qui paraîtra peut-être inutile ou fastidieuse à certains — de répondre de façon satisfaisante à cette question presque séculaire: quelle sorte de locuteurs natifs nos ancêtres ont-ils été?

Francisation et langue maternelle

Que notre «mère patrie», pour reprendre à propos une expression chère aux lettrés du siècle dernier, n'était autour des années 1790 qu'un assemblage fragile de 33 *gouvernements* exerçant leur juridiction sur un territoire ou *province* regroupant parfois plusieurs parlers distincts, bref une vaste «mosaïque dialectale» comme l'a dit Victor Barbeau, personne ne le conteste. Mais une autre question attire alors notre attention: cette mosaïque s'est-elle reflétée dans l'immigration française qui a contribué au peuplement du Canada? Admettons que oui pour l'instant, puisque tous les spécialistes qui se sont prononcés là-dessus semblent d'accord, comme on le verra.

Fort bien, mais il faut tirer les conséquences de cet acquis scientifique et envisager alors le fait français en Amérique du Nord comme le résultat d'un processus de *francisation*, c'est-à-dire d'émergence et de monopole des parlers issus du dialecte de l'Île-de-France, ceux-ci ayant entraîné la régression des dialectes concurrents par abandon de leur pratique.

Je désire néanmoins situer la question de la «francisation» de la Nouvelle-France selon une perspective quelque peu inédite à savoir, celle de la *langue maternelle* prise comme langue d'usage. Cela me paraît descriptivement plus adéquat que la perspective politico-idéologique que l'emploi de cette expression rend très souvent implicite.

Pourquoi et comment le dialecte de l'Île-de-France, c'est-à-dire ce que j'appelle ici le parler françoys, est-il parvenu à s'imposer comme langue d'usage en Amérique du Nord francophone?

Plus précisément, je demande à la linguistique de m'expliquer comment il se fait que le parler françoys d'où sortira la langue française, notre langue nationale, ait pu supplanter les autres parlers à titre de *langue maternelle* de tout un peuple? Assurément, le caractère *transmissible* de la langue maternelle est intimement lié à l'oralité du langage. Relier l'émergence du fait français en Amérique du Nord au caractère transmissible de l'idiome parlé par chacun de ceux qui peuplèrent la Nouvelle-France, voilà qui me semblait prometteur comme entreprise.

Il y a tout un vécu de l'enfance dans la langue maternelle que ni la culture ni l'idéologie ne peuvent atteindre. La transmissibilité du langage oral fait partie de l'immanence de la langue. C'est une constante charnelle que même le sujet parlant adulte prend plaisir à retrouver en dehors des situations protocolaires. C'est cet aspect charnel de la langue maternelle que Jean Godard, un auteur peu cité du début du dix-septième siècle, nous décrit avec simplicité dans les termes suivants:

> (...) il êt bien vray, qu'il y a deux sortes de langage en une même langue: c'êt à savoir le premier, & le second. J'appelle le premier celuy, que châcun parle en châque pays, & qui vient de nature & d'usage. J'appelle le second celuy, qui joint l'art à la nature (...). Ce premier langage là c'êt le commun ou vulgaire François, qui êt naturel aux François, qui, presque dès leur naissance en tirant par la bouche le lait des mamelles de leur nourrice, tirent aussi par l'oreille le langage François, de la bouche de leur nourrice. Car c'êt sans aucune peine, que la nature & l'usage leur fournit insansiblement le Langage François.
>
> [54:32-33]

La même truculence se retrouve chez un contemporain de Godard, Estienne Pasquier, qui en 1586 parlait du langage maternel comme «le langage auquel j'ai esté allecté dès la mamelle de ma mère»[9].

Une description aussi réaliste de la langue maternelle met bien en relief le clivage important qui déjà à cette époque a façonné l'usage de la langue françoyse. Il y a d'une part un langage de «parolles» qu'on acquiert de sa mère et qui «convient à tous» et, d'autre part, un langage de connaissance qu'on

---

9. Extrait de *Lettres I* contenues dans ses *Œuvres* publiées en 1723 que cite Henry PEYRE [89:86].

apprend de son maître et qui «n'appartient qu'aux doctes». À celui-ci correspond la «Biendisance», c'est-à-dire l'usage *et* la science, mais à celui-là correspond le parler, c'est-à-dire l'usage *sans* la science. Seul de ce dernier on dira que «c'êt en la puerilité, voire ancore en l'anfance, que l'acçant, la pronontiation, & l'air d'une langue s'apprand mieux: voire même tout l'idiome d'un Langage» [*54*:124]. Sera-t-on surpris alors d'apprendre que l'une des raisons qui ont incité Godard à écrire son livre était la revendication d'un enseignement scolaire *public* de la langue françoyse qu'il voulait voir traitée à égalité des langues grecque et latine? On en était encore là à une époque où la Nouvelle-France comptait quelque 300 colons.

Aux dires de Jacques Cellard, auteur d'un article intitulé «Quand la langue se fait maternelle» [10], l'expression «langue maternelle» aurait été enfantée par… un évêque, celui de Lisieux en Normandie, le célèbre Nicolas Oresme. Il faut croire qu'elle exprimait quelque chose de notoirement fondamental à propos du langage puisqu'on la retrouve telle quelle dans la très officielle ordonnance de Villers-Cotterêts édictée par François 1er le 15 août 1539, précisément aux articles 110-111, qui font référence au … «langaige maternel françois» [11].

Cette fameuse ordonnance — dont il faut bien avouer que les linguistes en ont démesurément grossi l'impact sur les pratiques linguistiques de l'époque, comme le montre de manière convaincante le juriste Henry PEYRE [*89*] — a justement fait l'objet d'une sorte d'opinion légale de la part d'un homme de loi fort réputé à son époque puisqu'il fut le premier président du Parlement de Paris. Il s'agit de Pierre Rebuffe, né en 1486, dont les *Commentaires* sur les ordonnances royales furent publiés en 1599.

L'extrait suivant [12], tiré de sa *Dernière Glose*, confirme que l'idée de «langue maternelle françoyse» ne correspondait pas exactement, à la fin du seizième et durant la première moitié du dix-septième siècle, à celle du «français, langue maternelle» que nous connaissons de nos jours et qui d'ailleurs sous-tend la problématique de cet essai. Voici ce que dit Rebuffe:

---

10. Voir *Le Monde* du 2 juin 1975. Article reproduit dans CELLARD [*27*].

11. Cité d'après W.v. WARTBURG [*109*:145].

12. Cité par Henry PEYRE [*89*:71-72].

... Que cette ordonnance soit locale, c'est ce qui ressort des termes de l'ordonnance elle-même: «en langage maternel français»; donc, là où la langue maternelle est le français, là on doit l'employer et non ailleurs.

Je penserais le contraire si l'ordonnance était plus générale: parce que les lois à sens général ont une portée plus douteuse...

Et ceci ne peut pas être contesté: *il y a pluralité de langages français* (dialectes d'oil).

Mais il suffit qu'il soit le *dialecte* maternel, bien que «gallicus» (français d'oil) car le texte dit «Maternel françois», non pas seulement françois, parce que *dans toute la France* que ce soit en Auvergne, en Gascogne ou dans tout autre pays de langue d'Oc, *le langage qui y est parlé est français maternel*. Ce n'est en effet ni un langage maternel «Espagnol», ni un langage maternel «Anglais».

C'est ainsi qu'il faut comprendre cette ordonnance.

Comme on peut s'en rendre compte, le caractère maternel d'un idiome quelconque est ici identifié à l'appartenance d'un locuteur au royaume de France; il ne s'identifie pas, comme aujourd'hui, à l'appartenance d'un locuteur au domaine du français, langue véhiculaire. Ainsi, dans la même ligne de pensée que PEYRE [*89*:69], je suis enclin à croire en ce qui concerne les immigrants venus de France pour coloniser le Canada, que ces derniers pouvaient fort bien être de «langage maternel françoys» sans pour autant comprendre un traître mot du parler françoys, cet idiome en usage dans le «pays» de l'Île-de-France.

C'est dire que les gens qui ont peuplé le Canada se sont déracinés pour ne pas dire «sevrés» d'un pays largement dominé, à cette époque encore, par la tradition orale[13]. C'est elle qui constitue l'environnement culturel dans lequel évoluent les pratiques langagières que connaissaient les premiers habitants de la Nouvelle-France. Or ne nous le cachons pas, ce n'est pas la tradition orale qui a engendré ce qu'on appelle aujourd'hui la

---

13. Que la France, sous l'Ancien Régime, était un pays largement dominé par la tradition orale, c'est ce qui ressort avec évidence de l'ouvrage de François Furet et Jacques OZOUF [*51*] sur l'alphabétisation des Français. Grâce à un traitement exhaustif des données compilées par Maggiolo à l'occasion de sa vaste enquête entreprise en 1877 et consistant à évaluer le degré d'alphabétisation des Français à partir du nombre de signatures au mariage dans chaque commune, ces auteurs ont pu obtenir des résultats qui remontent jusqu'en 1686-90 soit une époque qui suit immédiatement une décade d'immigration soutenue au Canada. La question reste de savoir si francisation et alphabétisation vont de pair.

«langue» française mais bien la tradition écrite dont l'avènement n'en était qu'à ses toutes premières manifestations au milieu du dix-septième siècle. Aussi me paraît-il justifié d'assimiler la langue maternelle non seulement des habitants de France mais aussi des colons établis en Nouvelle-France à la pratique d'un patois quelconque car l'une des caractéristiques essentielles de la tradition orale réside précisément dans la vitalité des patois. Langue française et patois, y compris dans ce dernier cas, les vieux parlers françoys de l'Île-de-France, se démarquent donc irrémédiablement de par le modèle culturel qui leur est sous-jacent. Comme l'a écrit Dauzat, «le paysan n'a appris et n'apprend à lire qu'en français; il ne sait pas lire son patois» DAUZAT [35:59].

Maintenant que nous sommes sensibilisés à cette dimension de l'oralité, comment dès lors réussir l'ancrage de la notion de langue maternelle dans le terrain des faits empiriques et des données historiques?

En réponse à cette question, j'ai voulu investir le caractère maternel du parler de nos ancêtres en exploitant le créneau démographique de la population féminine de la Nouvelle-France. Après tout, n'est-ce pas logique et naturel?

En effet, si l'expression consacrée veut que le foyer soit paternel, il en va de même pour la langue qui se doit d'être maternelle. Juste répartition des tâches que le langage s'est chargé de codifier! Le créneau de la population féminine joue un rôle crucial, à ce qu'il me semble, dans la structure du «marché linguistique» de la Nouvelle-France [14]. Ce créneau a l'avantage indéniable de se présenter sous trois angles différents: celui des *mères,* celui des *épouses* et celui des *filles* de la Nouvelle-France. Toutes trois contribuent de manière spécifique à la régulation des pratiques linguistiques qui ont cours au sein d'une communauté donnée.

Le choc des patois, je le montrerai, ce fut surtout l'affaire des femmes de la Nouvelle-France. C'est ce qui ressortira du quatrième et dernier chapitre.

---

14. L'expression est tirée de BOURDIEU & BOLTANSKI [13]. Même s'il peut paraître quelque peu abusif de faire cette sorte de récupération terminologique, on ne peut pas nier que le prestige qui est associé au françoys légitime a créé du même coup, à cette époque, un «échange» entre «l'offre» et la «demande» au sein de la population, d'où le «marché» inhérent à la langue.

Théorie, modèle et données

Le *Choc des patois* se veut aussi une théorie de la francisation de la Nouvelle-France exprimée au moyen d'un modèle capable de traiter un certains nombre de données directement liées à la pratique d'une langue. Il n'est pas suffisant, à mon avis, d'élaborer comme par le passé une simple procédure comptable s'appliquant à l'immigration française au Canada durant une période même longue de notre histoire pour en tirer certaines conclusions à incidence linguistique. Les chiffres, les statistiques et les décomptes que nous possédons ne prennent de sens que dans le cadre d'une théorie de la pratique de la langue maternelle axée sur les rapports complexes qu'entretiennent entre eux le sujet parlant d'une part, comme entité individuelle, et la communauté linguistique d'autre part, comme entité sociale.

Il nous faut plutôt recourir à un modèle qui puisse rendre compte du caractère transmissible de la langue maternelle car là réside la dynamique interne des pratiques langagières. Mais une telle dynamique s'accomplit elle-même à l'intérieur d'un ordre linguistique fondamental que l'on peut qualifier de vernaculaire, l'ordre de *l'oralité* qui était, du temps de la Nouvelle-France, régi par la clameur, les interférences et l'improvisation. Mais aujourd'hui, cette dynamique s'accomplit à l'intérieur d'un autre ordre, l'ordre protocolaire de la *textualité*, qui est foncièrement régi par le silence, la solitude et le savoir[15].

C'est pourquoi une partie des deuxième et quatrième chapitres sera consacrée à la mise au point d'un modèle explicatif radicalement différent des précédents tant dans sa conception que dans son application. Il tire le meilleur parti possible de la transposition dans le temps d'un dispositif centré sur la dialectique de la langue maternelle et de la langue d'usage dans un contexte d'assimilation linguistique.

Sujets presque anonymes des premiers temps de la colonie, les habitants de la Nouvelle-France se transformeront dans ce livre en personnages muets mais doués de parole. Ils deviendront solidaires d'une «masse parlante» pour reprendre une expression

---

15. L'opposition «vernaculaire-protocolaire» découle de l'opposition plus générale entre l'oral et l'écrit. Les formes vernaculaires d'un parler quelconque sont partagées par tous les membres d'une même communauté linguistique, quelle que soit leur condition sociale. Les formes protocolaires au contraire s'acquièrent en fonction du statut social de chaque individu. Pour plus de détails, voir BARBAUD [8].

employée par Saussure. Nous découvrirons qu'il y a eu non pas une mais plusieurs masses parlantes qui se sont opposées un certain temps mais sans bataille ni résistance. Tel est d'ailleurs le paradoxe du «choc» des patois. Car c'est le propre de l'assimilation que d'opérer sans douleur, comme à l'insu du sujet parlant lui-même, lorsqu'il a définitivement renoncé à exhiber sa différence par le seul usage de son parler. Comme on peut s'en rendre compte, ce sont les leçons tirées des situations contemporaines qui présideront à l'élaboration d'un modèle applicable à une situation historique car l'ordre qui régit la communication doit pouvoir transcender le temps.

Je ne désire aucunement bercer le lecteur d'illusions en ce qui a trait aux données que je vais utiliser. Il est hors de question de recourir aux énoncés de nos ancêtres, ce qui aurait été évidemment la manière la plus simple de se rendre compte du genre de locuteurs natifs qu'ils étaient. Je suppose qu'à cette époque l'idée même de graver la voix sur un ruban ou un disque aurait paru si étrange et démoniaque qu'elle aurait suffi à envoyer n'importe quel linguiste à la place de Grève pour sorcellerie!

Trève de truisme. Voyons plutôt comment on peut raisonnablement procéder à l'évaluation de l'ordre — ou du désordre — linguistique de la Nouvelle-France en recourant à des données «indirectes» qu'il n'est pas de la compétence d'un linguiste d'établir lorsqu'elles ont trait aux facteurs externes dérivant de la sociologie, de la géographie, de l'histoire, etc.

Je vais procéder, dans un premier temps, à authentifier la situation linguistique du pays de nos ancêtres, la France du dix-septième siècle, à partir surtout d'un document historique exceptionnel, voué depuis ces derniers temps à un regain de notoriété. Je veux parler de l'enquête menée par l'abbé Grégoire au temps de la Révolution française et qui a donné lieu à un rapport dont le titre en dit long: **Rapport sur la nécessité et les moyens d'anéantir les patois et d'universaliser l'usage de la langue française.**

Est-ce assez explicite comme dessein ... politique? Car n'oublions pas que le rapport Grégoire fut l'une des pièces maîtresses de la politique de salut public mise en place principalement par les Jacobins puisqu'il fut présenté à la Convention nationale et adoptée par elle lors de sa séance du 16 prairial de l'an deuxième de la République (16 mai 1794).

J'aurai l'occasion de faire une présentation plus complète de ce document. En attendant, il me paraît suffisant de dire qu'il tient lieu, pour son temps, de véritable enquête «sociolinguistique» avant la lettre, une sorte de «field work» authentique tel qu'on pouvait le concevoir à cette époque d'éveil scientifique.

Malgré le grand nombre d'études historiques, politiques ou sociologiques dont il a été l'objet depuis ces dernières années, le document de base du rapport Grégoire — constitué des lettres qui lui ont été envoyées en réponse à son questionnaire d'enquête — ne me semble pas encore avoir été exploité de la manière que je compte le faire. En effet, c'est en m'appuyant sur les témoignages relatifs à la situation linguistique dont atteste chaque correspondant de Grégoire que je vais extrapoler celle qui pouvait prévaloir à l'intérieur de chaque province au milieu du dix-septième siècle, soit plus d'un siècle et quart plus tôt qu'au temps de la Révolution française.

Voilà une partie de la procédure de découverte que je vais appliquer en ce qui concerne du moins la Vieille-France.

Dans un second temps, je m'attacherai à faire l'évaluation de la situation linguistique qui pouvait prévaloir en Nouvelle-France à un moment crucial de son développement soit en 1663. C'est risqué mais faisable pour peu qu'on dispose justement d'un modèle d'analyse adéquat.

Au classique modèle «comptable» qui s'avère inapte à décrire correctement la situation linguistique historique du Canada — j'y reviendrai plus loin — je vais préférer un modèle «combinatoire» de la francisation ou modèle d'émergence de la langue maternelle. Je le décris au chapitre quatrième entre autres.

Le modèle que je préconise sera éprouvé en regard des données démographiques contenues dans un autre ouvrage capital, celui de l'éminent historien Marcel Trudel qui s'intitule **La Population de la Nouvelle-France en 1663.** Je compte là encore innover en matière de description linguistique externe puisque ce livre contient un recensement nominal extrêmement rigoureux des habitants du Canada vivant en juin de cette même année. Je pose, à l'instar des chercheurs qui m'ont précédé, que la seule façon raisonnable d'établir un lien crédible entre un élément de la population d'alors et le locuteur natif qu'il devait probablement être consiste à s'en remettre au lieu d'origine attesté de cet individu, c'est-à-dire en fin de compte, à la province de France dont il est originaire. Il n'y a pas moyen de s'y prendre autrement dans l'état actuel de nos connaissances.

Les risques qui sont attachés à une telle reconstitution de la situation linguistique de la France et du Canada historiques sont évidemment énormes. Je ne manquerai pas une occasion de les relever chaque fois qu'ils surgiront et surtout au moment où il s'agira de présenter au lecteur les deux sources principales de mes données.

L'énigme d'une discipline

Enfin, et je le dis sans ambage, je n'ai pas fait de découvertes fracassantes, de nature à bouleverser les connaissances acquises depuis presque trois-quart de siècle sur cette vieille question.

Autrement dit, je ne remets pas en cause le fait général bien établi que l'unité linguistique des habitants du Canada s'est réalisée très tôt, contrairement à ce qui s'est passé en France, soit dit-on, vers le début du dix-huitième siècle. Je serais enclin quant à moi, comme on le verra, à situer la réalisation de cette unité plutôt vers le dernier quart du dix-septième siècle. Après tout, est-ce si important d'être aussi précis?

En revanche, il me semble que c'est dans le changement de «paradigme scientifique» tel que le conçoit Thomas S. KUHN[65] que réside l'ambition disciplinaire du *Choc des patois*.

Je demande à cette science de notre temps, la linguistique, de tenir ses promesses d'adéquation explicative en regard d'un phénomène dont l'appréhension jusqu'ici me paraît insatisfaisante.

La génèse du parler canadien-français constitue certes une véritable «énigme»[16] que la révolution scientifique issue du courant de pensée de la grammaire générative-transformation-

16. Selon KUHN [65:91], une énigme scientifique est un problème qu'on n'arrive pas à formuler faute d'une définition satisfaisante de la théorie. Coïncidence intéressante, le même terme est utilisé dans BRUNOT [15, t. VIII: 103] à propos justement de la situation linguistique de la Nouvelle-France. Mais Brunot travaillait dans un autre paradigme...

nelle [17] permet de réenvisager selon des perspectives que j'ose croire positivement renouvellées. La conception «générativiste» de la langue postule que la faculté de langage propre à l'être humain réside dans un dispositif mental hautement spécialisé de génération des phrases. C'est ce qu'on appelle la compétence linguistique d'un sujet parlant. Mais la réalisation effective de ce dispositif en énoncés [18] d'une langue particulière dépend d'un autre dispositif, de nature perceptivo-cognitive, que l'on appelle la performance linguistique du locuteur-auditeur.

Quel est, me dira-t-on, le rapport du *Choc des patois* avec une telle conception de la langue? À vrai dire, il ne peut y avoir qu'un rapport incident car parler de francisation, c'est d'abord s'intéresser aux masses parlantes. Mais les masses parlantes sont composées avant tout de sujets parlants, ou mieux, de locuteurs natifs qui ont des réactions de groupes, en d'autres mots, des comportements linguistiques partagés au cours des épisodes de leur histoire sociale.

Ainsi, l'incidence théorique de la conception générativiste de la langue se manifeste dans ce livre grâce à une conversion fondamentale qui consiste à transformer l'habitant, le colon, l'immigrant, bref le personnage géo-sociologique, en locuteur natif c'est-à-dire en personnage linguistique usager d'un dialecte particulier.

Considérant la démarche de base qui sous-tend le *Choc des patois,* je veux bien croire qu'une théorie de la *francisation,* définie comme le transfert linguistique des masses parlantes de la Nouvelle-France en faveur du dialecte françoys, est une tentative de résoudre l'énigme décelée par de nombreux prédécesseurs mais qui œuvraient à l'intérieur d'un paradigme impuissant.

---

17. En matière de grammaire, la tradition générativiste remonte à W. von Humbold qui en 1836 considérait que la faculté de langage s'assimilait à un dispositif de structuration des phrases correctes à partir d'un nombre fixe de sons dans chaque langue. Cette conception est à l'heure actuelle au centre des préoccupations scientifiques du célèbre linguiste américain Noam Chomsky et de son école. Mais ce dernier en a substantiellement modifié l'assise théorique en faisant de ce dispositif un ensemble inné de règles abstraites reconnaissables et assimilables par l'enfant au contact des matériaux linguistiques qui lui sont accessibles dans son environnement particulier.

18. Au sens que O. DUCROT [42] donne à ce terme. Consulter aussi DUCROT & TODOROV [43].

La solution que j'apporte met en relief le caractère «catastrophique»[19] de l'émergence de la langue maternelle françoyse. Elle s'oppose en cela de manière cruciale aux autres conceptions antérieures comme celle de *l'uniformisation* de la langue (RIVARD [95]; GODBOUT [55]; DULONG [44]), ou celle de la *fusion des parlures* (BARBEAU [9]) ou encore celle de *l'unification* linguistique (BRUNOT [15]) et même de *l'adoption* (DAVIAULT [38]).

Mais une telle théorie se démarque nettement aussi de quelques autres élaborées à propos de l'évolution parallèle de la langue française en France même. Il y aurait lieu d'en mesurer l'incidence en regard, par exemple, d'une concepion basée sur la *pénétration* du français de prestige (VENDRYES [105]), ou sur le *rayonnement* du français de Paris (DAUZAT [37]) ou, plus récemment, sur la domination d'une pratique bourgeoise de la langue (BALIBAR & LAPORTE [7]).

---

19. Le terme de «catastrophique», qui reviendra fréquemment dans cet ouvrage, est un terme emprunté au langage de la théorie mathématique des formes physiques. Il caractérise un événement précipité, brusque ou à évolution rapide. Il s'oppose donc aux qualificatifs qui caractérisent un événement à développement progressif lent, évolutif ou continu.

CHAPITRE I

Le dossier de l'origine
du parler canadien-français

Nouveau regard sur une vieille question, soit! Celle-ci n'en constitue pas moins un dossier fort respectable depuis que l'abbé Lortie, lors du premier Congrès de la langue française qui s'est tenu à Québec en 1912 a soutenu, chiffres à l'appui, que ce sont les Normands qui ont constitué le groupe le plus important parmi tous les immigrants français qui sont venus s'établir au Canada entre 1608 et 1700. «Il se trouve donc, conclut-il, que le groupe des Normands, le plus nombreux, est aussi celui qui, premier arrivé, a pu se *raciner* plus profondément et donner à notre parler la plus forte empreinte» (LORTIE [*75*:9]).

Usée jusqu'à la corde, cette citation notoire demeure néanmoins la pierre angulaire de tous les travaux subséquents. Son influence a été telle que la démonstration de Lortie a réussi à fixer pendant des années les règles méthodologiques de l'étude de la formation de notre parler.[1]

L'honnêteté intellectuelle commande, avant même que j'entreprenne quelque remise en question que ce soit, que j'effectue un tour d'horizon de ces divers travaux de qualité accomplis sur cette question depuis trois-quarts de siècle. Il

---

1. Une excellente confirmation de la tradition inaugurée par Lortie se retrouve, par exemple, dans l'ouvrage de R. LE TENNEUR [*74*] consacré à l'apport normand au peuplement de la Nouvelle-France et notamment dans la section intitulée «Langue et patois» [*74*:283 et sv.].

serait présomptueux de ma part de laisser au lecteur l'impression que la linguistique moderne, même dans sa version «générative-transformationnelle», puisse bouleverser les principaux acquis d'ordre démographique, historique ou linguistique, qui entrent dans notre connaissance actuelle de l'histoire du parler canadien-français. Ce que mes savants prédécesseurs ont trouvé reste encore vrai aujourd'hui encore même si leurs explications ne me paraissent pas liées à l'essentiel du problème. Celui-ci réside non pas dans la nature conjoncturelle ni dans la nature ethnique de l'usage linguistique mais bien davantage dans la nature structurelle de la communauté linguistique.

En quoi leurs découvertes restent-elles valables? En voici un résumé succinct:

1) *La chronologie.*   On s'accorde à situer au début du dix-huitième siècle le moment où le parler canadien-français est parvenu à se fixer dans la forme que nous lui connaissons aujourd'hui.

2) *L'uniformisation.*   Il est admis que les différents parlers qui ont été «importés» en Nouvelle-France ont été soumis à un processus d'uniformisation linguistique qui s'est déroulé bien avant et beaucoup plus rapidement qu'en France au temps de la Révolution et après.

3) *La dialectalisation.*   On admet, en dépit des différences de point de vue exprimés, que la contribution des principaux effectifs d'immigrants français venus s'établir au Canada a été déterminante dans la dialectalisation du parler français du Canada qui, sous sa forme actuelle, en possède de nombreuses traces. [2]

4) *La langue commune.*   On s'entend pour dire que l'expansion en Nouvelle-France du dialecte de l'Île-de-France a provoqué l'extinction des patois par suite de la nécessité de s'en remettre à l'usage d'une langue commune.

---

2. Ces vestiges de patois se retrouvent abondamment dans notre prononciation et surtout notre vocabulaire. De nombreuses études ont permis de retracer l'origine provinciale ou dialectale des mots patois que nous avons conservés. Le *Glossaire du parler français au Canada*, réédité en 1968, est sans doute l'ouvrage le plus complet sur cette question. Mais bien des cas restent encore à élucider (voir ma note infrapaginale, p. 98).

5) *Les facteurs extra-linguistiques.* L'uniformisation linguistique en faveur du parler françoys au Canada s'est faite sous l'influence directe de facteurs extérieurs tels que l'Administration royale, l'omnipotence du clergé, la présence de l'armée ou de la milice, les effets de l'alphabétisation, etc.

Voilà donc l'essentiel de l'héritage que ces prédécesseurs ont laissé. Le lecteur est alors fixé. Le *Choc des patois* ne prétend pas être autre chose qu'un ouvrage dédié à une connaissance plus approfondie de cet héritage. Il se propose néanmoins d'en renouveler la problématique dans le cadre d'une théorie de la francisation qui me paraît avoir fait défaut jusqu'à présent.

Un pionnier: Stanislas Lortie

Historien, démographe, généalogiste, Stanislas Lortie n'était pas un linguiste. Mais sa collaboration avec Adjutor Rivard de laquelle est d'ailleurs issue une courte monographie intitulée «L'Origine et le parler des Canadiens Français» publiée en 1903, l'avait rendu très averti des problèmes de langue.

Après de longues et méticuleuses recherches sur l'origine géographique des émigrants français venus s'établir au Canada entre 1608 et 1700, Lortie parvient à déterminer les divers groupes d'immigrants selon leur *province* d'origine qu'il répartit en quatre périodes chronologiques successives de 20 ans. À l'instar de nombreux autres prédécesseurs, j'ai cru bon reproduire ici son tableau statistique élaboré au cours de l'année 1903. Même encore à l'heure actuelle, ses chiffres cernent de très près la vérité, semble-t-il. [3]

---

3. Dans un article consacré à la même question, le généalogiste Archange GODBOUT [55] fait observer que les effectifs calculés par Lortie concernent l'immigration brute du XVIIe siècle. Les chiffres sont donc inévitablement gonflés, soutient-il, parce qu'ils comprennent les immigrants qui n'ont pas nécessairement fait souche au Canada et que l'on doit alors les considérer comme des colons «de passage». C'est en tenant compte de cette critique qu'il propose à son tour une compilation basée sur la moyenne obtenue entre les chiffres de Lortie et ceux qui résultent de sa propre compilation. Plus préoccupé d'hérédité que de langage, sa conclusion ne diffère guère de celle de Rivard dont il semble partager l'idée que le parler canadien est un amalgame d'un grand nombre de traits dialectaux.

TABLEAU I

**Nombre et origine des émigrants français arrivés au Canada
de 1608 à 1700 d'après S. Lortie**

PROVINCES Où étaient nés les émigrants	NOMBRE DES ÉMIGRANTS				
	Époque où ils apparaissent dans les registres				Totaux de 1608 à 1700
	1608 à 1640	1640 à 1660	1660 à 1680	1680 à 1700	
Augoumois		13	54	26	93
Anjou...........................	2	56	60	21	139
Artois..........................		2	9	3	14
Aunis, Île de Rhé, Île d'Oléron.	23	115	293	93	524
Auvergne		3	18	14	35
Béarn		1	1	8	10
Beauce	14	22	46	23	105
Berry...........................	1	5	32	11	49
Bourgogne......................	1	6	36	21	64
Bourbonnais....................		1	2	5	8
Bretagne	4	9	108	54	175
Brie	2	7	25	2	36
Champagne.....................	7	23	76	23	129
Comté de Foix		1	1		2
Dauphiné.......................		4	14	6	24
Flandre, Hainaut...............		1	11	3	15
Franche-Comté.................			1	5	6
Gascogne		5	22	24	51
Guyenne		8	61	55	124
Île-de-France	36	76	378	131	621
Languedoc......................		1	26	23	50
Limousin		5	26	44	75
Lorraine	1	6	7	2	16
Lyonnais	1	3	13	16	33
Maine..........................	1	66	31	15	113
Marche		1	1	4	6
Nivernais		2	4	1	7
Normandie	89	270	481	118	958
Orléanais	4	7	33	19	63
Perche	89	122	24	3	238

PROVINCES Où étaient nés les émigrants	NOMBRE DES ÉMIGRANTS				
	Époque où ils apparaissent dans les registres				Totaux de 1608 à 1700
	1608 à 1640	1640 à 1660	1660 à 1680	1680 à 1700	
Périgord		1	28	16	45
Picardie..........................	11	7	60	18	96
Poitou		54	357	158	569
Provence		3	13	6	22
Roussillon			2		2
Saintonge........................	10	37	140	87	274
Savoie			6	6	12
Touraine.........................		21	42	28	91
Totaux	**296**	**964**	**2 542**	**1 092**	**4 894**

L'impact scientifique de cette étude fut immense. Nombre d'historiens, de démographes et de linguistes s'y sont référés par la suite, ne serait-ce que pour l'indéniable valeur statistique de ses données.

En évaluant le poids respectif des provinces françaises dans l'immigration du dix-septième siècle, Lortie acquiert la nette conviction que c'est au début des années 1700 que «notre parler avait dès lors reçu l'empreinte qu'on lui connaît» [75:2] Se basant alors sur la prépondérance numérique du groupe des Normands, sa conclusion n'est pas sans rappeler l'idée que s'était faite le grand historien Charlevoix qui déjà en 1744 associait les «Créoles du Canada» aux Normands[4].

Première vision du choc des patois: Adjutor Rivard

Il revient à Adjutor Rivard, membre fondateur de la Société du Parler français au Canada, d'avoir le premier considéré la question de l'origine du parler des Canadiens sous un angle proprement linguistique en faisant intervenir les notions de patois et de dialectes.

---

4. Voir CHARLEVOIX [32, tome II:136].

Il reprend à son compte le modèle d'analyse de Lortie mais en le situant dans le cadre d'une problématique différente à savoir «comment s'est effectuée dans le Canada français l'unité linguistique» (RIVARD [95:17]). Passionné par le problème des différents parlers en usage parmi les colons français et les premiers Canadiens de souche, cet ardent défenseur de la langue française admet au départ la diversité des dialectes français. «*Dialectes* ou *patois,* écrit-il, nous savons (...) que ces parlers furent importés au Canada».

Néanmoins, il ne peut s'empêcher d'atténuer la portée réelle de cet état de fait historique :

> Un grand nombre de colons étaient (...) des patoisants. Mais la plupart avaient déjà de l'instruction; s'ils parlaient encore, et plus volontiers, le patois entre eux, dans leurs familles, ils savaient aussi entendre et parler le français.
>
> [97:30]

En éludant si commodément le problème que soulève la diversité des patois en regard de la communication verbale entre colons, Rivard ne manque pas de raisons pour expliquer la disparition des patois en Nouvelle-France. De cette manière, il estime rendre compte d'un événement linguistique important et résoudre ainsi la question de savoir «(...) comment le français vint à prédominer, à s'imposer en si peu de temps et à donner au franco-canadien le fonds auquel s'incorporèrent les éléments dialectaux les plus vivaces» [95:22].

Ces raisons, elles tiennent toutes à des facteurs extérieurs non seulement à la langue mais aussi aux sujets parlants eux-mêmes; c'est l'usage du français dans les milices et l'armée, dans l'administration et le clergé, à l'école comme au couvent. Le faible nombre de la population a aussi contribué à la francisation rapide des patoisants. Bref, toutes ces raisons d'après Rivard, s'entrelacent dans la trame sous-jacente de la fusion des groupes provinciaux, entraînant «le mélange des dialectes (qui) devaient donc singulièrement faciliter l'évolution de notre parler vers le français» [97:31].

Faire reposer la francisation de la Nouvelle-France princi-palement sur l'argument des conditions externes, c'est-à-dire l'influence du clergé, de l'armée et de la fonction publique, n'est certes pas inexact dans la mesure où n'importe quel processus se déroule obligatoirement dans un environnement favorable, dans une fourchette de conditions extérieures propre. Mais encore faut-il savoir évaluer l'échange entre celles-ci et les mécanismes internes de l'assimilation linguistique. Or quelle idée peut-on se faire de l'environnement de la francisation à l'époque où nous nous situons?

Les composantes inhérentes à la structure sociale de la colonie sont maintenant fort bien connues grâce à l'étude détaillées qu'en a faite Marcel TRUDEL [*104*:119 et ss]. Voici comment se répartissent en 1663 les différents groupes sociaux impliqués dans le processus de l'assimilation. Premier ordre social de l'époque, l'Église, avec ses 41 femmes et ses 37 hommes ecclésiastiques, dont la plupart n'avaient de contact qu'avec les indigènes dans les missions, ne détenait en définitive qu'un faible 2,5% de la population totale de la colonie. Deuxième ordre social, la noblesse, avec 96 personnes, s'arrogeait 3,2% de cette même population. Le Tiers-État comprenait 192 personnes (796 en comptant les familles, soit 26,3%), soit 15,8%. Les petites gens quant à eux, au nombre de 2 065 personnes, formaient 68% de la population totale de la colonie.

Devant une telle répartition des forces sociales, dont on présume qu'elle reflète celle des forces linguistiques, est-il si évident que ça que les corps sociaux minoritaires, même imbus du prestige et de la légitimité de leur parler françoys, aient pu convaincre l'immense majorité des petites gens de changer radicalement leur comportement et leurs pratiques linguistiques vernaculaires au point de se doter, en quelques années, d'une nouvelle langue maternelle? L'exemple du Québec historique et contemporain suffit à jeter le doute. L'anglais, malgré tout son prestige et la puissance de sa caste possédante, n'est pas encore devenu la langue maternelle des «porteurs d'eau» francophones de l'Amérique du Nord. J'en arrive à la conclusion que Rivard a mis l'emphase sur les facteurs secondaires de la francisation. L'influence de l'environnement, par le biais de la structure sociale de l'époque ainsi que de l'instruction embryonnaire (RIVARD [*96*]) qui s'y donnait, ne peut tenir lieu de thèse explicative de la francisation. Celle-ci réside plutôt à mon avis dans la mécanique universelle de la transmission et de l'acquisition de la langue maternelle.

Le jugement sévère de Ferdinand Brunot

Certaines des faiblesses de l'argumentation de Rivard n'avaient pas échappé à la sagacité du grand linguiste français Ferdinand Brunot. Plusieurs chapitres de son œuvre colossale sont justement consacrés au français du Canada. Il a trouvé dans Rivard ample matière à parfaire sa connaissance du processus historique de l'unification de la langue française. Aussi ne faut-il pas s'étonner de ce que les recherches de son homologue québécois trouvent un large écho dans la discussion qu'il entend mener à propos de l'origine du français du Canada.

Disposant d'une documentation qui force l'admiration, cet historien de la langue française reprend à son compte un certain nombre des constats faits par Rivard. D'une part, BRUNOT [*15*] admet l'existence des patois :

> Selon toute probabilité, non seulement les premiers colons, mais leurs descendants gardèrent assez longtemps leurs habitudes linguistiques natives ; leurs patois subsistèrent et vécurent, je veux dire se développèrent.
>
> [*15*:1057]

Plus loin il conclut :

> De toutes façons, et c'est le fait qui importe, les patoisants étaient dès l'origine, sinon en minorité, du moins en présence d'un grand nombre de francisants, car aux originaires de l'Île-de-France il faut ajouter les Tourangeaux (91) ; les gens de la Beauce (10) ; les Champenois (36), bref tous ceux dont la langue était ou le français ou un langage qui lui ressemblait fort. À eux tous, ils formaient presque un cinquième de la population.[5]
>
> [*15*:1072]

D'autre part, il se montre très critique vis-à-vis des raisons qui ont été invoquées par Rivard plus particulièrement, et qu'il considère quant à lui comme autant de «forces qui arrivèrent, dans un temps relativement court, à substituer aux patois un français qui a peut-être été au XVIIe siècle plus patoisé qu'aujourd'hui mais qui n'en était pas moins du français.» [*15*:1059].

---

5. Les chiffres entre parenthèses réfèrent aux données de Lortie.

Voici par exemple ce qu'il dit à propos de l'enseignement qui pouvait prévaloir en Nouvelle-France et qui aurait pu agir comme la principale force d'unification linguistique :

> (...) Je ne voudrais plus ajouter qu'un mot de conclusion, très ferme, c'est qu'il est de toute impossibilité, même si on met les choses au mieux, qu'un enseignement aussi pauvrement distribué, aussi peu poussé que celui dont nous venons de parler, ait pu avoir une influence sérieuse sur le langage des Canadiens français. Il ne pouvait vraiment être meilleur qu'en France, où j'ai montré ce qu'il donnait. [6]
>
> [*15*:1066]

Il n'est pas non plus sans intérêt de rappeler ici l'opinion tranchée qu'il s'est faite à propos de l'influence et du rôle du clergé canadien vis-à-vis de la langue française du Canada, de son évolution mise à l'abri, pour ne pas dire censurée, de l'influence délictueuse du discours révolutionnaire si florissant au siècle des Lumières :

> Cette politique n'a pas encore cessé. Il s'agit d'amener ces Français séparés à parler comme à Paris, mais à penser et à sentir autrement. Oeuvre paradoxale, s'il en fut, et qui a pourtant réussi, les faits l'ont prouvé. Il faut marquer, j'en ai le devoir et le droit, ce que la théocratie canadienne a fait exactement. Elle a sauvé outre-mer la langue française et ruiné l'esprit français, sous la forme qu'il a prise depuis la Révolution.
>
> [*15*:1168]

Voilà certes un jugement qui n'est pas dénué de justesse ! Les choses ont heureusement changées depuis 1934, année qui a marqué l'achèvement de l'œuvre monumentale de Brunot.

Il demeure pourtant beaucoup plus réservé quant à la langue elle-même qui pouvait prévaloir en Nouvelle-France. Il parle même de «véritable énigme» du français du Canada puisque, prenant en considération les nombreux témoignages écrits par des contemporains du début du dix-huitième siècle tels Bacqueville de la Potherie, Charlevoix, Pierh Kalm, Montcalm et même Bougainville, Brunot se voit bien forcé d'admettre qu'ils contredisent nettement son hypothèse qu'il existait des patois en Nouvelle-France et qu'ils ont pu s'y développer.

---

6. Pour une étude exhaustive et récente de cette question, voir l'ouvrage de FURET et OZOUF [*51*].

Quoi qu'il en soit de cette énigme, ce linguiste imbu de l'idée de l'expansionisme de la langue française a inconsciemment fait subir aux faits historiques une légère distorsion qu'il est bon de relever.

Brunot, il est vrai, a parfaitement établi qu'il y a eu mise en œuvre d'un début de politique de francisation du Canada sous l'ancien régime.[7] Mais il est tendencieux de laisser croire, à l'instar de ce qu'a écrit récemment Jean-Pol Caput [20:64], qu'une telle politique concernait l'ensemble de la colonie, ce que la situation linguistique de l'époque pourrait justifier d'imaginer en raison justement de la situation de multidialectalisme qui prévalait.

En réalité, les directives de francisation qui sont suggérées dans la correspondance adressée par Colbert au jeune Louis XIV concernent uniquement les indigènes. Elles sont d'ailleurs indissociables d'une politique plus vaste de propagation de la foi chrétienne confiée aux missionnaires. D'où il ressort, *a contrario,* que l'absence de problèmes linguistiques parmi les colons de la Nouvelle-France explique que Colbert n'en ait pas du tout parlé, de même qu'aucun autre grand commis de l'État. Mais on sait que l'Administration royale de l'époque faisait preuve d'une grande souplesse lorsque des situations linguistiques locales l'exigeaient.[8]

Un contestataire : Ernest Martin

Le linguistique français Ernest Martin, professeur à l'université de Bordeaux à l'époque, a certainement contribué à une meilleure compréhension du problème de la formation du français du Canada en l'abordant par un biais linguistiquement plus significatif que l'approche exclusivement arithmétique des travaux antérieurs à son article publié en 1946.

C'est lui qui introduisit la notion de *zones dialectales* grâce à laquelle on parvient en définitive, à un premier niveau de

---

7. Sur cette question, voir BRUNOT [*15*, t. V].
8. Se référer à l'ouvrage de Henry PEYRE [*89*].

généralisation linguistique. Cette notion lui permet de procéder au regroupement des divers effectifs d'immigrants en raison de l'appartenance de chacun à l'une ou l'autre des zones dialectales qui caractérisaient la situation linguistique de la France à cette époque. En effet, il n'y a pas forcément juxtaposition entre l'étendue géo-politique d'une province et l'étendue géo-dialectale de ses habitants. Une même province française pouvait comprendre des habitants parlant un dialecte différent — la Picardie ou la Normandie, par exemple — ou, plus fréquemment, le même dialecte pouvait recouvrir des provinces différentes.

La démarche de Martin est donc une première tentative de sortir le problème linguistique de l'emprise purement comptable des statistiques provinciales. En accordant aux dialectes la préséance qu'ils doivent logiquement avoir dans l'argumentation linguistique, Martin se libère de l'équivalence un peu simpliste qui a incité un historien comme Lortie par exemple, à conclure à la prééminence du dialecte normand sur la base d'une prédominance numérique des colons originaires de Normandie.

À cette argumentation, Martin oppose la sienne propre en faisant valoir qu'il fut le premier à contester l'idée reçue d'un parler canadien identifié à «un dialecte ancestral, le normand, très différent du dialecte de l'Île-de-France, berceau du pur français, du *Parisian French*.» (MARTIN [78:189]). Il est parfaitement clair à ses yeux que si tel était le cas, le français du Canada ne serait pas aujourd'hui le français qu'il est. Une opinion contestataire analogue se retrouve aussi dans DAVIAULT [38].

Cette conviction, il la tire du réaménagement qu'il fait subir aux chiffres de Lortie en regroupant les immigrants venus du Sud-Ouest de la France dans une même entité linguistique, une même aire dialectale. Voici d'ailleurs son tableau :

TABLEAU II

Nombre et origine par zones dialectales des Français au Canada entre 1608 et 1700 d'après E. Martin

PROVINCES Où étaient les émigrants	NOMBRE DES ÉMIGRANTS				
	Époque où ils apparaissent dans les registres				
	1608 à 1640	1640 à 1660	1660 à 1680	1680 à 1700	Totaux de 1608 à 1700
Poitou, Aunis, Saintonge, Angoumois..	33	219	844	364	1 460
Anjou, Touraine, Berry .	3	82	134	60	279 ⎫
Île-de-France, Orléanais et Beauce	54	105	457	173	789 ⎬ 1233
Brie, Champagne........	9	30	101	25	165 ⎭
Maine, Perche...........	90	188	55	18	351
Normandie	89	270	481	118	958
Picardie, Artois	11	9	69	21	110
Bretagne	4	9	108	54	175
Diverses	3	52	293	259	607
Totaux	**296**	**964**	**2 542**	**1 092**	**4 894**

Comme on s'en aperçoit, cette nouvelle façon de traiter les données statistiques de Lortie a pour effet de concéder la prééminence linguistique aux immigrants venus du Sud-Ouest puisque ce sont eux maintenant qui détiennent la position de prédominance numérique. [9] En définitive, le poids démographique à peu près équivalent dont peuvent se prévaloir tant les gens du Sud-Ouest que ceux de l'Île-de-France et, dans une moindre mesure, ceux de Normandie, affaiblit considérablement la portée du principal argument invoqué jusqu'à présent pour rendre compte du phénomène de la francisation du Canada et des origines de notre parler.

---

9. Une argumentation similaire se retrouve dans l'ouvrage de René CAILLAUD [16], publié à Montréal deux ans avant que ne paraisse l'article de Martin. Se référant lui aussi aux statistiques de Lortie, cet auteur se porte en défenseur des quatre provinces du Sud-Ouest. «Il se trouve, écrit-il, que ces quatre provinces du Sud de la Loire sont des provinces sœurs en quelque sorte, des provinces qui constituent un bloc, un tout, non pas seulement géographique, dont on ne peut dissocier les quatre parties constituantes.» [16:33-34].

Martin s'en est bien aperçu, lui qui a proposé une explication d'un tout autre ordre pour résoudre cette épineuse question. J'avoue néanmoins qu'elle me paraît bien surprenante!

D'après lui, c'est à «l'aptitude marquée à parler le plus pur français» dont les habitants de l'Ouest et du Sud-Ouest de la France ont, paraît-il, toujours fait preuve qu'il faille attribuer la francisation des habitants du Canada. Aussi conclut-il: «Cette remarque sur l'aptitude atavique des Canadiens à parler le meilleur français me paraît d'une importance capitale pour l'avenir de notre langue en Amérique du Nord.» [78:192]

Je n'insisterai pas davantage sur le doute que soulève dans mon esprit une telle théorie de la francisation. À en croire Martin, notre peuple serait doué pour apprendre les langues. Serait-ce parce nous aurions perdu ce merveilleux don qu'il se refuse obstinément à s'angliciser ou à s'américaniser?

Du côté des historiens

Rares sont les historiens qui passent sous silence l'aspect linguistique du peuplement de la Nouvelle-France. On peut même ajouter qu'ils sont souvent victimes des ornières méthodologiques que leur discipline a fini par créer dans un domaine d'investigation où les linguistes, il faut bien l'avouer, n'ont guère fait preuve d'imagination.

Cette idée de Martin, d'un regroupement des effectifs d'immigrants en fonction des *zones dialectales,* a paru si pertinente à l'historien Sylvio DUMAS [45] que ce dernier l'a incorporée dans une belle étude sur les «filles du Roi». Son enquête minutieuse sur cet aspect particulier de l'immigration proprement féminine l'amène à établir un décompte très serré des filles du Roi qui sont entrées au Canada durant tout le dix-septième siècle. Il évalue à exactement 774 le nombre total des immigrantes de cette catégorie dont 692 d'entre elles sont d'origine géographique connue [45:44].

S'inspirant alors de Martin, Dumas procède à une distribution de ce contingent féminin selon les mêmes subdivisions dialectales que le linguiste a proposées. Il fait alors ressortir avec plus d'évidence un fait déjà fort bien établi plusieurs années auparavant par l'historien Gustave LANCTÔT [68], l'auteur du célèbre *Filles de joie ou filles du Roi?,* à savoir que les filles du

Roi originaires de l'Île-de-France ont formé le contingent le plus nombreux de cette classe d'immigrantes.

Lanctôt s'est aussi intéressé à l'origine du parler canadien-français par le biais des filles du Roi. Sa démarche ne diffère guère de celle des autres : la prééminence linguistique est déterminée par l'avantage numérique, dans la tradition la plus solide du modèle comptable.

Bien que son estimation du nombre total de filles du Roi, qu'il établit à 961, semble grossir quelque peu l'importance de cet effectif, il montre que ce sont dans l'ordre, les trois provinces suivantes : Île-de-France, Normandie et Aunis-Poitou — ce qui implique les 3/5e du total — qui fournissent les contingents les plus importants. Il conclut :

> Ces faits démographiques méritent de retenir l'attention à cause de leur influence immédiate et continue, tant du point de vue social que linguistique, sur la formation et l'évolution de la colonie canadienne. Ils expliquent en partie l'absence de patois dans le pays et l'unification rapide des divers éléments provinciaux en un type d'hommes nouveaux, qui est le Français canadien qui deviendra, dès le siècle suivant, le Canadien tout court.
>
> [68:126]

J'avoue ici la perplexité dans laquelle me plongent ces propos... Pourquoi conclure à l'absence de patois alors que les filles du Roi aunisiennes, poitevines et même normandes constituent l'essentiel de cette majorité ? Lanctôt croyait-il qu'on parlait françoys en Aunis et en Poitou au milieu du dix-septième siècle ? Voilà qui n'est pas clair non seulement pour Lanctôt mais pour plusieurs autres spécialistes qui se sont penchés sur la même question. Autrement dit, une telle conclusion permet de mettre le doigt sur un point névralgique de tous les travaux portant sur la formation du parler canadien-français : l'absence d'une preuve quelconque de l'appartenance d'une province donnée au domaine d'influence soit du parler françoys soit d'un parler dialectal, c'est-à-dire un patois quelconque.

En l'absence d'une procédure capable de nous fournir une telle preuve, je crois qu'il est linguistiquement peu significatif de fonder une relation entre proportions numériques et origines provinciales des Français qui ont peuplé la Nouvelle-France.

Mais j'en reviens à Dumas. Son grand mérite est d'avoir eu l'intuition de la nouvelle perspective dans laquelle il convient d'envisager le phénomène historique de l'émergence du parler françoys dans les premiers temps de la colonie.

D'autre part, il dissocie les hommes des femmes entrant dans la composition de la population immigrante de 1636 à 1683 plus précisément. Élémentaire mais, paradoxalement, sans conséquence sérieuse jusqu'aux études démographiques relativement récentes de HENRIPIN [59], CHARBONNEAU [30] et TRUDEL [104] pour n'en citer que quelques-unes.

D'autre part, Dumas associe beaucoup plus étroitement que ne l'ont fait ses prédécesseurs le rôle des femmes et la diffusion de la langue (française) considérée a priori comme... langue maternelle. «Les immigrantes, se demande-t-il, n'auraient-elles pas eu une influence plus considérable qu'on ne le croit sur le parler de la Nouvelle-France? N'est-ce pas la maman qui donne à l'enfant les premières leçons de la langue maternelle?» [45:124]

Voilà certes une question qui ne manque pas d'à-propos. On peut regretter que la notion de langue maternelle n'ait pu servir jusqu'à présent d'outil conceptuel susceptible de jeter sur l'histoire de notre langue un éclairage plus approprié. Mais au fond, n'est-ce pas là justement la prétention de cet ouvrage?

Je fais donc le pari qu'une telle notion est aussi opératoire en cette matière qu'elle ne l'est, par exemple, en démographie linguistique où la récente distinction entre *langue maternelle* et *langue d'usage* lors du recensement canadien de 1971 fut nourricière de données extraordinairement stimulantes pour une réflexion portant sur les dimensions sociales du langage. Replacée dans le contexte historique de la Nouvelle-France, la notion de langue maternelle peut nous éviter de nous embourber dans le terrain raviné des historiens.

Les études linguistiques récentes

La tradition

Parmi ceux qui se sont récemment prononcés sur la question de l'origine du parler canadien-français, je ne retiendrai en fin de compte que les auteurs suivants : DULONG [*44*], POIRIER [*91*] et ASSELIN & McLAUGHLIN [*2*].

Si je mentionne la contribution du linguiste Gaston Dulong, professeur à l'université Laval, c'est surtout à cause de l'incidence «stratégique» de son article dans l'œuvre monumentale que dirige Thomas A. Sebeok. En effet, le dixième volume des *Current Trends in Linguistics* est consacré aux langues d'Amérique du Nord.

Entreprise de longue haleine et aux vastes perspectives, cette œuvre est de nature à fixer pour longtemps l'image de marque de notre langue telle qu'elle est véhiculée dans cette «Histoire du français en Amérique du Nord» que Dulong y a présentée.

Classique et solide, telle me paraît être la position que ce savant adopte sur la question de «la langue parlée par les colons français». En réalité, il n'y développe aucune théorie de la formation du parler canadien-français. Il s'en tient à une présentation sommaire des données relatives à l'immigration au cours des dix-septième et dix-huitième siècles, en se référant notamment à celles de S. Lortie et du généalogiste A. Godbout.

Sans adopter explicitement la thèse de l'uniformisation linguistique précoce du Canada, Dulong s'en tient néanmoins aux idées défendues par Brunot et Rivard. Il est clair à ses yeux que «seuls parlaient français ceux qui étaient originaires de Paris et de l'Île-de-France ainsi que les administrateurs, les fonctionnaires, les gens d'Église et les officiers de l'armée.» [*44*:411]. Il est non moins clair d'ailleurs que la France de cette époque ne parle pas français puisqu'il cite à cet égard un passage bien connu du rapport de l'abbé Grégoire.

En définitive, Dulong présente l'histoire de l'unification du français du Canada dans la tradition la plus pure de ce que j'ai appelé le «modèle comptable» de la francisation de la Nouvelle-France.

La critique

Toute la section initiale de l'article portant sur le lexique de notre langue est consacrée par Claude POIRIER [*91*] à la fameuse question de «l'histoire du parler québécois». Elle n'aurait eu rien de remarquable n'eut été la critique qu'il y développe à propos de l'argument basé sur les témoignages contemporains du dix-huitième siècle.

Poirier met en cause la valeur même de ces témoignages. Sans aller jusqu'à faire un lien explicite entre leurs auteurs et le fait qu'ils appartenaient inévitablement aux «classes supérieures de Paris» dont le pouvoir politique et le prestige culturel ont dominé l'évolution et la diffusion du français [*91*:43], ce coresponsable du Trésor de la Langue française au Québec [10] met en doute la représentativité et l'objectivité des remarques, commentaires ou autres citations bien connus de voyageurs tels que Pierh Kalm ou John Lambert, d'érudits tels que Charlevoix, Franquet ou Bacqueville de la Potherie et d'autres. En tout état de cause, il leur dénie un quelconque caractère de preuve en faveur du «préjugé que la langue apportée en Nouvelle-France par les premiers colons était un français pur, une sorte de tourangeau qui se serait détérioré peu à peu sous l'influence de l'envahisseur anglais.» [*91*:45]

Nonobstant cette réserve importante de sa part, Poirier ne s'en range pas moins du côté d'un Rivard dont il retient l'essentiel de la thèse sur l'unification linguistique rapide en Nouvelle-France. Prenant appui sur ses propres travaux effectués à partir de documents anciens (livres de comptes, inventaires de biens, billets et lettres entre particuliers, contrats, etc.), Poirier conclut de la manière suivante: «La langue la plus usuelle en Nouvelle-France était le français populaire de l'Île-de-France, fortement marqué, notamment dans son lexique et dans sa phonétique, par les usages dialectaux du Nord-Ouest, de l'Ouest et du Centre de la France.» [*91*:48]

---

10. L'auteur précise qu'il partage cette responsabilité avec Marcel Juneau et Micheline Massicotte, de l'université Laval.

L'antithèse

Le dossier «formation du parler français» au Canada est-il enfin clos? Peut-on le considérer comme une affaire résolue? Eh bien, pas le moins du monde. Cette histoire est pleine de rebondissements inattendus dont le plus spectaculaire, mais néanmoins unique jusqu'à présent, est incarné par l'article de Claire ASSELIN et Anne MCLAUGHLIN [2]. Leur thèse est une véritable remise en cause de toute la problématique.

De quoi s'agit-il au juste? Ni plus ni moins que d'une théorie contraire à tout ce qui s'est dit jusqu'ici sur le processus d'unification linguistique de la Nouvelle-France. Pour tout dire, Asselin et McLaughlin n'y croient pas. Si pour elles il y a eu effectivement processus de changement linguistique en Nouvelle-France, il fut, pourrait-on dire, de nature évolutive plutôt que de nature phénoménologique ou «catastrophique».

Leur argumentation se situe manifestement sur le plan idéologique et ne renie certes pas une certaine influence althussérienne. Des études antérieures, elles prennent pour acquis la prépondérance de l'immigration du Sud-Ouest ainsi que l'origine largement rurale et pauvre des colons français du Canada. Tout ceci les amène à conclure que «ce n'est pas le dialecte de l'Île-de-France, mais bien plutôt ceux de l'Ouest et du Nord-Ouest, qui étaient les dialectes maternels du plus grand nombre d'immigrants.» [2:13]

Mais plutôt que d'orienter leur argumentation, à l'instar de Rivard, Brunot et Dulong, du côté d'une théorie basée sur un processus quelconque d'uniformisation linguistique, ces auteures ont au contraire opté pour une totale remise en cause «du caractère de non intelligibilité mutuelle» des patois de l'Ancien Régime. Pour Asselin et McLaughlin, le choc des patois serait une thèse insoutenable...

Cette remise en cause, on le comprend facilement, aura d'énormes répercussions. Ainsi, à propos du degré de compréhension entre immigrants de patois différent, ces auteures soutiennent que «tous les «patoisants» des régions de langue d'oil se comprenaient» [2:49]. La raison tient à ce que le terme de «patois» tel qu'il était utilisé sous l'Ancien Régime et lors de la Révolution avait une acception différente de celle qu'il a en français moderne. Les patois, assurent-elles, correspondaient à des usages linguistiques autres que celui des détenteurs du pouvoir qui eux, parlaient un français d'élite. La conséquence devient alors évidente :

> Le peuple de l'Ancien Régime étant donc plus apte à nommer ses propres pratiques que ne l'est la linguistique actuelle, c'est parce que ce peuple — dont les immigrants en Nouvelle-France étaient issus — affirmait parler français, que nous affirmons à notre tour que les immigrants en Nouvelle-France parlaient français, et qu'il n'y a eu en Nouvelle-France ni «disparition des patois», ni «généralisation du français».
>
> [2:55]

Que vaut alors le rapport de l'abbé Grégoire qui se présente historiquement comme un document susceptible de fournir une certaine description de la situation linguistique en France à la fin du dix-huitième siècle ? Asselin et McLaughlin sont naturellement amenées à en contester la fiabilité et l'objectivité en raison de l'interprétation faussée que les révolutionnaires bourgeois dont Grégoire et Barère, ont accordé aux réalités linguistiques qu'ils appelaient «patois».

C'est ainsi que rappelant d'abord le rôle de référence que tient le rapport de l'abbé Grégoire dans les travaux des prédécesseurs que sont Dulong et Brunot (on peut y ajouter Godbout, Barbeau, Daviault, Poirier et d'autres), ces deux auteures sont alors amenées à en contester la valeur de preuve sur la base du raisonnement suivant :

> C'est donc parce qu'ils ont attribué rétrospectivement la définition moderne de «langue» aux détenteurs du pouvoir sous l'Ancien Régime et à Grégoire que des chercheurs tels Brunot, Rivard et Dulong, ont conclu à l'absence d'intelligibilité mutuelle entre les patois et entre les patois et le français, et qu'ils ont, par conséquent, défini la diversité linguistique importée en Nouvelle-France en termes de langues différentes.
>
> [2:53]

Que dire alors de l'influence des femmes sur le parler des habitants de la Nouvelle-France, compte tenu de ce qu'elles étaient numériquement beaucoup plus faibles que les hommes ? La réponse est claire :

> On ne voit pas pourquoi les femmes originaires de l'Île-de-France auraient eu plus d'influence linguistique que, par

exemple, les hommes originaires de Normandie. Ces femmes sont bien sûr dispersées en Nouvelle-France; mais on ne peut prétendre que cette dispersion ait entraîné de soi la diffusion de leur dialecte, si d'autre part on soutient que la dispersion des locuteurs des autres dialectes a été un facteur de disparition de ces autres dialectes.

[2:32]

Diversité dialectale et intercompréhension

Il me paraît nécessaire de commenter des prises de position aussi fermes puisque, cela saute aux yeux, il y va de la crédibilité et de l'existence même du «choc des patois». Deux points principaux méritent d'être discutés. Le premier concerne ce qu'Asselin et McLaughlin ont appelé «l'intelligibilité mutuelle» (*mutual intelligibility*) des patois ou dialectes d'oil[11]. Le second a trait à la fiabilité qu'il convient d'accorder à «l'enquête» de l'abbé Grégoire (et non pas tellement à son *Rapport*).

La question de l'intercompréhension des locuteurs appartenant au domaine de la langue d'oil est cruciale parce que c'est sur elle que repose l'évaluation des habitants de la Nouvelle-France en sujets parlants eu égard à la pratique du parler françoys. Ce dernier joue nécessairement un rôle de référence puisqu'il s'agit de ... francisation.

Je ne puis raisonnablement croire que des locuteurs, vivant à une époque où la tradition orale dominait partout hormis quelques grandes capitales provinciales et hormis ceux qui appartenaient à la caste minoritaire des plus ou moins alphabétisés, que ces locuteurs étaient en mesure de converser sans recourir à un interprète. La parenté linguistique des dialectes d'oil ne lève pas pour autant les barrières qui séparent les parlers dans la pratique langagière. Ceci est vrai de l'espagnol ou de l'italien par rapport au français comme, même aujourd'hui, du français de France par rapport au français du Canada.

---

11. Je préfère le terme *intercompréhension* dialectale, un point que J. FOURQUET[50:573 et ss] discute dans l'optique adoptée par le linguistique Gaston Paris. W. Mackey [77:194] préfère quant à lui l'expression de «intelligibilité réciproque» entre deux langues basée sur le degré de parenté des deux systèmes linguistiques.

L'intercompréhension des locuteurs est une variable qui dépend fort étroitement de la connaissance *active* du dialecte de l'interlocuteur car la connaissance *passive* n'est guère une condition suffisante pour que le circuit de la communication puisse être activé dans les deux sens.

Or je suis fermement convaincu que les locuteurs normands, poitevins, picards ou saintongeais n'avaient, sous l'Ancien Régime, aucune chance de développer une connaissance active du dialecte de l'Île-de-France. Quel simple villageois avait suffisamment d'occasion d'être en contact soutenu avec un locuteur françoys pour se «faire l'oreille» au parler de la capitale, au reste fort éloignée? Pour un locuteur ordinaire complètement pénétré de tradition orale, la prégnance des formes phoniques et intonatoires de son propre parler constitue un handicap considérable à la simple perception auditive d'un autre parler lorsqu'il n'existe aucun entraînement préalable à la reconnaissance des formes phoniques étrangères. À cette difficulté de simple occasion s'ajoutait celle, plus déroutante, de la diversité de prononciation dont de nombreux mots françoys étaient victimes. À cette époque, même un locuteur ordinaire de l'Île-de-France était incapable de savoir quelle était la prononciation d'usage d'un grand nombre de mots de son lexique. Comme l'a écrit J.-P. SÉGUIN [*100*:47], c'est l'orthographe «gardienne de la prononciation» qui a tué plus tard tous les phénomènes de phonétisme populaire hérités d'une époque où régnait la tradition orale.

Par ailleurs, je trouve fallacieux l'argument qui repose sur l'évolution sémantique qu'a subi le mot *langue* depuis la révolution française [12] en regard plus particulièrement du caractère «impérialiste» qu'il a acquis. S'il est vrai que dans l'idéologie jacobine et le vocabulaire qui la sert, la langue est devenue un instrument de domination et même de répression qui a refoulé le parler populaire au rang de patois c'est-à-dire de réalité linguistique socialement déconsidérée, il est non moins vrai que la notion de *Pouvoir* qui lui est étroitement associée ne correspond pas exactement dans cette idéologie à celle qui prévalait au temps des Monarques et de leur pouvoir absolu. Si le pouvoir

---

12. Sur l'évolution du sens des mots *langues, dialectes, patois,* voir CHAURAND [*33*: 145 et ss].

de la République parle français, le pouvoir du Roi parlait béarnais en Béarn, berrichon en Berry, bourguignon en Bourgogne et ainsi de suite dès lors qu'il s'imposait aux commettants d'une province qu'il fallait politiquement respecter (DAUZAT [*37*:20]).

Le pouvoir, tout monarchique qu'il était, s'exerçait à cette époque de manière passablement décentralisée. et la langue du roi coexistait pacifiquement avec la langue du «pays». C'est là l'idée qui est au centre de la thèse soutenue par Henry Peyre et que j'entérine. S'appuyant entre autres sur les *Discours aux États Généraux* de Michel de l'Hospital, cet homme de loi que j'ai déjà cité conclut ainsi :

> Non seulement il (M. de l'Hospital) nous amène à dire que le pouvoir royal ne songe même pas à se servir de l'action politique dans le domaine des langues pour le maintien de l'unité du royaume; mais encore, il permet d'en conclure que la question linguistique ne se posait pas. On peut qualifier de neutre l'attitude du pouvoir à l'égard des langues à cette époque.
>
> [*89*:12]

En tout état de cause, je crois que l'ascendance de la royauté sur les pratiques langagières d'un locuteur qui n'était pas natif de l'Île-de-France ne pouvait sans doute pas prétendre supplanter celle de l'Église dont les prêches se donnaient en patois dans le moindre patelin ainsi que le révèlent plusieurs réponses à la question 20 du questionnaire de Grégoire (voir chapitre troisième).

J'aborde maintenant le degré de fiabilité qu'il convient d'accorder à l'enquête de Grégoire — distincte de son *Rapport* — dans le cadre du présent ouvrage.

Que cet érudit ecclésiastique, imbu des idées jacobines de liberté dans l'égalité, ait été biaisé dans sa conception élitiste de la langue, on peut en convenir en lisant son *Rapport*. De là à croire que tous ses correspondants l'étaient aussi, il y a une marge. Leurs lettres à son questionnaire laissent facilement deviner qu'ils n'étaient pas tous parvenus au même degré de mobilisation idéologique que le curé d'Emberménil.

Mais là n'est pas le problème. Je dis plutôt que la valeur des témoignages contenus dans la plupart des lettres adressées à Grégoire est indéniable quant à l'empirisme descriptif. Ces témoignages ont valeur de reportage. Les correspondants de

Grégoire [13] ont fait une évaluation adéquate des pratiques et des usages linguistiques qu'ils étaient à même d'observer en leur qualité «d'intermédiaires» entre l'usage local d'un dialecte et l'usage légitime de la langue francoyse, ce que P. BOURDIEU et L. BOLTANSKI [13:6] font bien remarquer. Leurs attestations eu égard au critère de l'intercompréhension demeurent valides. Elles nous permettent d'authentifier la situation linguistique du pays d'origine de nos Ancêtres à une époque telle qu'on peut, sans risques excessifs, tenter de faire l'extrapolation d'une situation linguistique antérieure à savoir, celle du milieu du dix-septième siècle.

On verra d'ailleurs, sans grande surprise, que cette situation historique n'était qualitativement pas différente de celle qui prévaut encore de nos jours. Ces zones linguistiques dont le linguiste B. Pottier fait état dans une carte que je reproduis ci-après (figure I) n'ont que peu varié depuis des siècles tant la persistance ou l'inertie des pratiques dialectales sont enracinées dans les cultures régionales. Malgré un certain arbitraire que l'on doit concéder au départ en matière de limites dialectales puisque rien n'est aussi nettement tranché dans la réalité du terrain, ces limites permettent quand même de «signaler l'extension maximum actuelle des parlers qui se différencient du français commun» (POTTIER [92:1158]).

Aussi, lorsque je me propose de reconstituer et d'authentifier la situation linguistique de la France au dix-septième siècle sur la base d'attestations et de témoignages pertinents, n'ai-je pas d'autre idée en tête que celle d'en arriver à une représentation géographique analogue à celle que Pottier a enregistrée en regard du bilinguisme actuel en milieu rural. Une comparaison de cette seconde carte (figure II) avec la première nous permet de constater qu'il existe encore, dans la France d'aujourd'hui, une diversité des pratiques linguistiques dans la mesure où la zone dialectale de l'Île-de-France correspond à un état de bilinguisme nul, c'est-à-dire d'unilinguisme français, tandis que toutes les autres zones sont génératrices de pratiques bilingues. Le bilinguisme de type «français commun - dialecte» est alors évalué par Pottier selon les trois degrés de pratique qu'il a retenus: intense, usuel ou sporadique.

---

13. On trouvera dans DE CERTEAU & ALII [28] une étude détaillée de la classe sociale à laquelle appartenaient les correspondants de Grégoire.

FIGURE I

Les zones linguistiques en France

(d'après POTTIER [92])

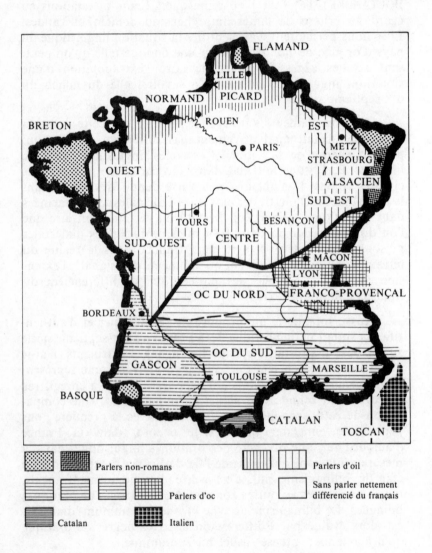

FIGURE II
Le bilinguisme en milieu rural

(d'après POTTIER [92])

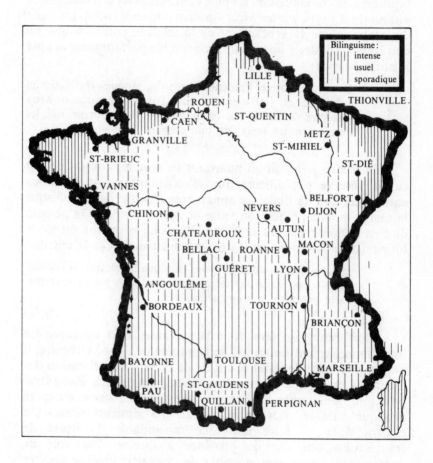

Pour clore cette discussion relative au bilinguisme sur lequel repose plus loin toute ma conception du locuteur «semi-patoisant», je me référerai à l'avis de deux autres spécialistes de cette question. Outre Léopold Taillon [*102*] qui élabore une typologie des bilinguismes les plus courants dont un bilinguisme «naturel» du type *parler local - parler national* [*102*:41], ce que dit Maurice van Overbeke [*86*] de la relation entre «langue de culture» et «dialecte apparenté» me semble parfaitement adapté à notre propos:

> Quoique relative, l'indépendance des langues régionales et culturelles est suffisante pour que l'on puisse parler de deux systèmes linguistiques et, à propos du locuteur qui les domine toutes deux, de bilinguisme.
>
> [*86*:49]

Overbeke poursuit en nuançant ce premier constat de fait car il observe par ailleurs que «l'incompréhension absolue» entre locuteurs de dialectes apparentés n'existe jamais puisque la marge de compréhension varie de zéro à l'infini. On ne peut dire en conséquence où finit l'unilinguisme et où commence le bilinguisme. Toujours est-il que sa conclusion sera la mienne:

> Pour conclure, nous pouvons dire que la relation «dialecte - langue correcte» suscite et entretient une forme extrêmement précaire de bilinguisme.
>
> [*86*:52]

Mon entreprise sera donc la suivante. Fort du caractère intentionnellement descriptif de l'enquête de l'abbé Grégoire, il s'agira pour moi de tester le critère de l'intercompréhension des locuteurs en regard de la pratique du bilinguisme. Par extrapolation, je compte parvenir à dresser une carte de cette pratique valable pour le milieu du dix-septième siècle. On pourra donc se faire une idée raisonnable du degré de francisation que chaque province a atteint. Par voie de conséquence, il devient possible de convertir chaque ancêtre immigrant originaire d'une province quelconque en véritable locuteur natif.

CONCLUSION

Au terme d'un tel compte rendu, j'estime que le dossier relatif à l'origine du parler français du Canada a reçu un traitement qui, sans être exhaustif, demeure raisonnablement complet. Il n'était pas inutile à mes yeux qu'une synthèse de tous ces travaux fut un jour entreprise et située dans le cadre d'une phénoménologie de la langue. Tous ces travaux ont tenté de fournir une explication au problème de la formation de notre parler mais ils l'ont fait en dehors de toute problématique de la langue maternelle ou mieux, de la francisation. C'est pour cette raison qu'ils illustrent tous ce que j'ai appelé le modèle «comptable» par opposition au modèle «combinatoire» que je vais préconiser.

Sur un plan méthodologique, le modèle comptable reste invariablement fidèle à petit nombre de procédures. D'abord celle de la *transposition*: le locuteur natif résulte d'une transposition faite à partir de l'habitant originaire d'une province particulière. Je n'ai pas d'autre choix que de m'en remettre à mon tour à cette façon d'agir. Ensuite celle de *l'équivalence*: la prépondérance numérique d'une province entraîne la prééminence linguistique au Canada. Je dirai pourquoi cette procédure n'est ni valable ni crédible. Enfin, *l'interprétation* liée aux facteurs externes constitue certes la procédure la plus caractéristique de ce modèle. C'est grâce à la conjoncture favorable au dialecte de l'Île-de-France que le français a pu prévaloir en Nouvelle-France. Ce modèle attribue donc une influence décisive sur le parler à l'administration royale, à l'instruction dispensée par l'Église, à l'organisation militaire de la colonie, à la tenure seigneuriale en vigueur à cette époque ainsi qu'à la dispersion géographique des établissements. Mais tous ces facteurs ne se retrouvaient-ils pas en France même? Pourquoi auraient-ils été plus favorables au françoys en Nouvelle-France alors qu'en France même ils n'avaient pas commencé à éroder l'emprise des patois?

Au fond, on peut reprocher au modèle comptable d'être «ad hoc», c'est-à-dire strictement factuel. Il ne se situe dans le cadre aucune théorie plus puissante sur le plan de l'adéquation explicative. La phénoménologie du fait français en Amérique du Nord — qu'elle s'applique au Canada des Habitants ou au Canada des Francophones d'aujourd'hui — doit pouvoir dire *comment* s'est accompli le processus de la francisation de ceux qui ne parlaient pas françoys tout comme elle doit montrer comment ceux qui parlent français aujourd'hui sont l'objet d'une implacable anglicisation.

CHAPITRE II

À la recherche
d'un modèle explicatif

LES CINQ DÉFAUTS DU MODÈLE COMPTABLE

Je faisais allusion plus haut aux ornières méthodologiques dans lesquelles me paraissent s'être enlisées les diverses tentatives accomplies depuis le début du siècle pour expliquer l'origine du fait français en Amérique du Nord. Il m'incombe alors d'en dégager les faiblesses en évitant toutefois que mes critiques puissent donner l'impression de mésestimer la réelle valeur scientifique des contributions antérieures.

Mes critiques sont au nombre de cinq. Elles ont trait à la conception générale dont ces recherches s'inspirent tout autant qu'à certains aspects particuliers de la méthodologie qu'elles mettent en œuvre. Le modèle «comptable» de la formation du parler canadien-français a sévi, oserai-je dire, de Lortie à Trudel. Il repose sur un axiome de simple équivalence entre l'importance numérique des immigrants de chaque province et l'importance linguistique que leur effectif se voit octroyer du même coup au sein de la population de la Nouvelle-France. La démarche consiste alors à établir le relevé statistique de chaque effectif d'immigrants reconstitué au moyen d'enquêtes minutieuses menées à partir des documents d'époque et des archives de toutes provenances. La vérité sera d'autant mieux cernée que les sources à partir desquelles on puise les données seront authentiques, nombreuses et soumises à un contrôle réciproque. Je commente quelque peu les cinq points faibles de cette démarche.

Le caractère événementiel du fait français

Premièrement, le fait que les données démo-statistiques couvrent une période de presque un siècle ne leur confère pas pour autant un pouvoir linguistiquement descriptif. Il ne permet pas de conclure que la pratique linguistique d'une population se structure quantitativement dans un sens parallèle, divergent ou même comparable au cours de la même période.

Une comparaison aidera à mieux saisir. Deux professeurs, l'un de gymnastique, l'autre de français, prétendent chacun enseigner la matière la plus importante de tout l'enseignement scolaire. Chacun tente de convaincre l'autre en invoquant le nombre total d'élèves auxquels ils ont enseigné dans leur école au cours des dix dernières années de leur carrière. Plus il y a d'élèves dans une matière, plus grande est son importance en quelque sorte... À coup sûr, le professeur de gymnastique peut faire état d'un nombre cumulatif d'élèves beaucoup plus considérable que ne saurait le faire son collègue de l'autre discipline puisqu'il enseigne moins de temps à plus de classes.

Mais leur discussion ne rime à rien, on le sait, parce que le total cumulatif des effectifs scolaires n'est pas un critère adéquat pour juger de l'importance d'une matière d'enseignement par rapport à ses concurrentes. En réalité, c'est le nombre cumulatif d'heures par année pour chaque matière qui détermine leur importance respective, ce qui reste tout à fait indépendant des performances de nos deux professeurs.

Ainsi en est-il à mon avis de l'utilisation des données statistiques cumulatives dans le modèle comptable. Elles ne sont pas directement pertinentes à la question de la francisation du Canada. Au risque de créer un paradoxe, je dirais que le caractère *historique* de cette comptabilité ne saurait rendre compte à lui seul, tant s'en faut, du caractère *diachronique* de la formation du parler canadien-français. Le temps est une dimension que l'histoire et la linguistique semblent traiter différemment.

Par ailleurs, lorsqu'on se place du point de vue de la composition linguistique de la population de la Nouvelle-France et plus particulièrement de l'émergence d'un parler unique, j'en arrive à croire que la nature statique des chiffres utilisés par Lortie et ses successeurs obscurcit la nature proprement dynamique du processus de la francisation.

Or cette dynamique particulière est ici indiscutablement de caractère «événementiel» du fait même de l'immigration qui bouleverse toute l'écologie linguistique qui prévalait antérieurement en France. Parce qu'ils s'appliquent à l'ensemble du dix-septième siècle, les chiffres auxquels le modèle comptable a recours n'autorisent pas de procéder à une analyse de type synchronique mieux adaptée, me semble-t-il, au caractère événementiel en question.

En autant que cette critique s'avère fondée, il y aura donc avantage à délaisser les chiffres de Lortie ou même ceux qu'un traitement sophistiqué par ordinateur permettraient de préciser pour plutôt tirer le meilleur parti possible d'un recensement nominal effectué à un moment précis de notre histoire, judicieusement choisi en raison du phénomène de la francisation. Le caractère synchronique d'un tel recensement est à même de nous faire saisir le caractère *catastrophique*[1] de ce phénomène puisqu'il est de toute évidence lié à l'événement de la colonisation.

L'hypothèque de la géographie

Venons-en à ma deuxième critique. C'est l'hypothèque géographique que le modèle comptable fait peser sur l'analyse de la composition linguistique de la Nouvelle-France. Il faut se libérer de l'emprise qu'exerce l'origine provinciale des immigrants sur un phénomène — l'émergence du parler françoys — qui n'en dépend pas directement.

Certes, la géographie est inévitable dans notre entreprise. Elle est même indispensable à une reconstitution authentique des faits relatifs non seulement à chaque sujet parlant mais à la situation dialectale de la France du dix-septième siècle. Mais elle ne saurait déterminer les tenants et aboutissants de l'évolution des parlers de la Nouvelle-France.

Être immigrant de Normandie, qu'est-ce que cela signifie en regard de la langue maternelle de cet immigrant? Avoir un père originaire de la Vendée ou avoir une mère originaire de l'Aunis, qu'est-ce que cela implique pour le jeune enfant né au Canada?

---

1. Voir plus haut ma note infrapaginale p. 16.

Ne pas être un francisant de l'Île-de-France, quelle conséquence cela entraînait-il dans les échanges vernaculaires de nos ancêtres néo-canadiens? Non pas que de telles questions soient dénuées d'intérêt mais elles restent néanmoins sans réponses parce que l'origine provinciale, qui relève de la réalité géo-politique propre au régime monarchique, n'a pas de réelle signification linguistique. L'origine provinciale n'a de sens que si elle est traduite en compétence dialectale qui elle-même ne signifie quelque chose que si elle s'intègre dans un rapport de force linguistique.

Qu'il s'agisse de la notion de «zones dialectales» préconisée avantageusement par Martin ou de celle «d'aires dialectales homogènes» mise de l'avant par Dumas, le problème n'est que partiellement résolu. Elles demeurent quand même tributaires de la géographie. Elles permettent d'accéder à une première généralisation fondée sur la réalité dialectale de la France, sans qu'il ne soit précisé d'ailleurs de quelle France il s'agit.

Pour s'affranchir complètement de la géographie, il importe à mon avis de procéder à une généralisation plus puissante de la réalité dialectale. C'est la raison pour laquelle j'aurai recours à l'idée de «statut linguistique» du sujet parlant. Grâce à cet outil conceptuel, chaque immigrant venu de France au dix-septième siècle peut être considéré comme l'acteur authentique du choc des patois d'où a émergé le français du Canada. Le statut linguistique, c'est une véritable main levée sur l'hypothèque de la géographie.

En dernier lieu, je ne saurais passer sous silence, pour le dénoncer avec force, l'argument climatique très souvent lié comme dans BARBEAU [9] ou DAVIAULT [38] à celui de la géographie. Le climat du Canada, son hiver légendaire, n'a pas pu agir sur l'organe phonatoire des premiers habitants de ce pays au point de modifier le système phonétique de leur parler et des règles phonologiques qui en découlent. Une langue n'est pas sensible à la température, n'est-ce pas? La nôtre n'est ni plus ni moins «molle», «monocorde», «monotone» ou «gutturale» que le danois, le norvégien ou l'inuit. Là encore, l'esthétique d'une langue, qui se traduit souvent par des expressions à saveur morale, n'est que le décalque d'une idéologie de la langue à laquelle chaque locuteur adhère avec plus ou moins de conviction et de conscience. Ce n'est donc pas le climat canadien avec son hiver rigoureux qui fait passer le français du Canada pour un français «régional» pour ne pas dire «abâtardi», mais bien la hiérarchie des valeurs esthético-morales accolées à la prononciation, l'articulation et les intonations de notre parler.

L'inégalité des sexes

Troisièmemement. L'œuvre de Trudel mise à part, aucune étude accomplie dans le cadre du modèle comptable n'arrive à faire de la distinction des sexes un instrument d'analyse valable de la question linguistique. Hommes et femmes sont toujours confondus sur le plan des données démo-statistiques.

Il y a plus grave. Aucune, y compris celle de Trudel, ne prend en considération la distorsion qui découle du légendaire déficit de l'immigration féminine par rapport à l'immigration masculine.

Faut-il insister davantage sur cette carence manifeste du modèle comptable? En matière d'héritage linguistique, de transmission ou de conservation de la langue, c'est un truisme de dire que le rôle de l'homme n'est pas aussi crucial que celui de la femme. J'aurai l'occasion de revenir sur ce point ultérieurement.

J'aouterais à cette troisième déficience du modèle comptable l'erreur méthodologique qui consiste à assimiler les enfants au père plutôt qu'à la mère. Historiens, démographes et bien entendu, généalogistes, ont la fâcheuse habitude d'attribuer aux enfants les traits particuliers du père mais non pas ceux de la mère même lorsqu'à l'évidence, ce n'est pas adéquat. En matière de langue «maternelle» tout particulièrement, une telle procédure risque aujourd'hui d'attirer des ennuis!

TRUDEL [*104*;43] par exemple, fait explicitement une telle assimilation lorsqu'il «rattache» les enfants nés au Canada à la province dont le père est originaire pour finalement conclure, lui aussi, à la prédominance numérique du groupe normand[2].

---

2. La procédure classique qui consiste à déterminer l'origine ethnique d'un individu en suivant la lignée paternelle est implicitement mise en cause par CHARBONNEAU et MAHEU [*31*] dans leur introduction à la *Synthèse* qu'ils ont rédigée pour le compte de la «Commission Gendron».

C'est la raison pour laquelle le modèle combinatoire que je préconise accorde une espèce de parti-pris en faveur de l'élément féminin de la population de la Nouvelle-France. Non seulement envisage-t-il la problématique de l'origine de notre parler à partir d'une distinction entre hommes et femmes mais surtout fait-il une distinction entre les mères et les filles.

N'est-il pas logique de s'en tenir à une perspective aussi discriminatoire lorsqu'on sait, et je le montrerai à nouveau, que les hommes ont été, de nombreuses années durant, notoirement plus nombreux que les femmes parce que la colonisation a drainé massivement des métiers d'hommes?

Jusqu'à ce que les courbes démographiques de la population canadienne se stabilisent par suite, d'une part, du tarissement de l'immigration après 1683 et, d'autre part, de l'équilibre des sexes découlant des naissances[3], les hommes ont formé un effectif majoritaire d'autant plus considérable qu'on recule dans le temps.

Il m'apparaît clair, dans ces conditions, que toutes les études qui ont consisté à corréler le poids linguistique des divers effectifs d'immigrants avec leur importance numérique respective, sans tenir compte du déficit de l'élément féminin de la population, ne pouvaient fournir qu'une image suspecte et peut-être même inexacte de la situation linguistique de la Nouvelle-France au dix-septième siècle.

Une réanalyse de la question de l'origine de notre parler s'impose donc puisque c'est maintenant aux femmes et aux filles que j'impute l'initiative du déroulement de la francisation. Car une chose est évidente à mes yeux: l'énigme que pose l'émergence du parler françoys au Canada ne saurait être élucidée qu'en raison du statut de langue maternelle dont ce parler a réussi à s'emparer au détriment des autres idiomes ou dialectes dont le destin a voulu qu'ils ne soient plus des langues maternelles en Nouvelle-France.

---

3. Sur le phénomène de la stabilisation de la population canadienne et l'avènement d'une pyramide «normale» des âges, HENRIPIN [59] précise: «...les phénomènes de nuptialité et de natalité n'étaient pratiquement plus influencés, en 1710, par l'immigration de 1663 à 1671, la pyramide des âges étant à peu près régulière à cette date.» [59:13].

Population immigrante et population autochtone

Quatrièmement. Exception faite encore une fois de l'œuvre de Trudel, aucune étude inspirée du modèle comptable n'incorpore la population autochtone, je veux dire les Canadiennes et Canadiens de souche. Seules les données démographiques de la population française *immigrante* du dix-septième siècle interviennent dans l'argumentation.

J'accorde qu'il était difficile autrefois d'en tenir compte en raison du manque d'études scientifiques et surtout de données exploitables. Le fait demeure néanmoins qu'aucune étude n'a su proposer un traitement adéquat des données démographiques fournies par la population d'origine canadienne qui, dès 1663, était aussi importante que la population immigrante.

Je veux bien croire qu'à cette époque la grande majorité de celle-là n'était composée que d'enfants et d'adolescents. Mais ils n'en étaient pas moins des sujets parlants dont il est loin d'être évident qu'ils aient eu le dialecte de leur père comme langue maternelle.

La tentative de Trudel d'intégrer la population canadienne dans son évaluation de la répartition des origines provinciales de la population totale de la Nouvelle-France en 1663, bien que méritoire, reste sans impact significatif sur le problème qui nous intéresse puisqu'il tombe dans le piège de la filiation paternelle. Néanmoins, ce sont ses données que je vais utiliser, ainsi que je l'ai déjà dit.

Dans le modèle combinatoire, la population de souche canadienne entre en ligne de compte puisqu'elle fait partie intégrante de l'évaluation de la situation linguistique de la Nouvelle-France. À toutes fins pratiques, cela ne concernera que les filles nées au Canada. Mais c'est par ce biais que le modèle combinatoire arrive précisément à caractériser le processus de l'assimilation puisque la période qui couvre une génération de filles et même deux nous introduit à la dimension diachronique de l'assimilation ou, si l'on préfère, de l'émergence du parler françoys.

Les témoignages des contemporains

À ces quatre critiques, j'ajouterais une dernière remarque. Une bonne partie de l'argumentation classique, celle qui est développée en particulier par les gens de lettres, se fonde sur les témoignages glanés ici et là dans les écrits des contemporains qui ont pensé à émettre certains commentaires sur les langues qui se parlaient parmi les habitants du Canada. Ces commentaires sont d'ailleurs massivement dédiés à la problématique des langues amérindiennes: huronnes, algonquines, iroquoises et autres. Le fait est à souligner: les témoignages concernant l'idiome françoys aussi bien que les divers patois sont fort erratiques. Rien de moins étonnant puisque le même silence s'observe dans toute la littérature classique. L'explication me paraît simple: auteurs, écrivains et gens de lettres de l'époque ne devaient guère voir l'intérêt qu'il y avait à examiner de façon objective une situation de multilinguisme généralisée et admise de tous. Il est donc compréhensible que la situation linguistique de la Nouvelle-France, reflétant si naturellement celle de la Vieille-France, n'ait guère suscité l'intérêt scientifique des lettrés de l'époque contrairement à ce qui s'est passé pour les langues amérindiennes qui elles, se présentaient comme de véritables objets de découverte et d'investigation scientifiques.

Néanmoins, les remarques que nous ont laissées les Charlevoix, Le Clerc, d'Aleyrac, La Hontan, La Potherie, Franquet, Montcalm et quelques autres demeurent aussi précieuses qu'utiles malgré le laconisme qu'elles affichent. Voilà certes un recours intéressant mais auquel on ne saurait accorder, à l'instar de POIRIER [91] notamment, qu'un crédit limité. Ils ne peuvent attester que de faits anecdotiques ayant trait aux pratiques langagières de certains éléments de la population canadienne. A fortiori, ils ne sauraient être invoqués, comme dans la tradition la mieux enracinée en cette matière, à l'appui d'une quelconque datation du moment où aurait pu se réaliser l'unité linguistique du Canada.

La plupart des jugements portés sur la langue française des habitants du Canada ont d'ailleurs un caractère tellement global qu'ils font douter de leur adéquation à un usage général qui se serait répandu parmi la population. Leurs auteurs peuvent être soupçonnés de partialité, voire de méconnaissance, en raison de leur naissance, de leurs fonctions, de leur fortune ou du milieu social qu'ils fréquentent à leur époque.

À titre d'illustration, je mentionnerais le témoignage de Simon Denys, Sieur de la Trinité[4].

Dans une lettre adressée à Monseigneur du Brueil, sieur de Lagagnerie, à Tours, et qui est datée du 28 octobre 1651, ce Tourangeau, Acadien par fonction puis Canadien par adoption, décrit méthodiquement la Colonie qu'il retrouve[5]. Parlant de ses habitants, voici ce qu'on peut y lire entre autres:

> Les mœurs sont polies; *la langue française y est parlée avec élégance.* Hommes, femmes et enfants, si la famille a quelque naissance, s'habillent et s'ornent avec non moins de propreté et de grâce qu'on ne le fait à Paris.

Je dois préciser qu'il s'agit à ma connaissance du plus ancien témoignage sur la langue de la Nouvelle-France auquel il soit possible de se référer. Je n'en connais guère qui datent d'une période antérieure à 1651. Tous les autres témoignages que l'on a invoqués lui sont largement postérieurs. Cet avantage confère-t-il pour autant au témoignage de Simon Denys une pertinence exceptionnelle à la question de l'uniformisation linguistique de la Nouvelle-France?

Peut-on en conclure, à la lumière de ce qu'il dit, que la population de la Nouvelle-France était une population de langue française dès le milieu du dix-septième siècle? On peut en douter.

Les propos de Simon Denys, pour valables qu'ils soient, n'en recèlent pas moins une vue tronquée de la réalité linguistique qui l'entourait. Cette citation le laisse clairement deviner. La perception qu'avait l'ingénieur Denys, le plus gros propriétaire foncier du Canada[6] — le seigneurie Notre-Dame-des-Anges lui a été concédée en 1652 — de la situation linguistique

---

4. Du nom de «la ferme de la Trinité» qu'il a acquise des jésuites, ce témoignage est extrait d'un document que Lucien Campeau (voir CAMPEAU [*18*]) a découvert à Rome dans les Archives *Scritture originali riferite nelle Congregazioni generali,* vol. 260, ff 310-313. C'est une transcription en latin de la lettre originale signée: «Denys l'Aîné de la ville de Québec».

5. Il n'est pas impossible, malgré la différence d'orthographe du nom de famille que cette lettre ait été adressée à un proche parent de sa femme, Jeanne Dubreuil originaire de Touraine elle aussi. Quant à Simon Denys, il est retourné en France finir ses vieux jours puisqu'il est mort à La Rochelle en 1678 âgé de plus de 80 ans. GODBOUT [*56*:78].

6. Selon Trudel [*104*:53].

de la colonie ne pouvait différer de l'image que lui renvoyait le milieu social qu'il fréquentait. Membre du Conseil souverain de la Nouvelle-France de septembre 1664 à décembre 1666, on se doute bien qu'il ne devait pas être du genre à fréquenter ceux qui n'étaient pas de «quelque naissance»[7].

Je serais alors enclin à tenir ces témoignages pour de bons indices mais non pour de bonnes preuves. Qui plus est, ils se contredisent! Cela, nous le savons depuis qu'ils ont été répertoriés de façon quasiment exhaustive. Qui croire dans ces conditions? Finalement, le rôle des témoignages écrits par les contemporains sur l'usage linguistique qui avait cours en Nouvelle-France ne peut être qu'accessoire[8].

Quant à l'étude des manuscrits d'époque telle qu'entreprise par certains chercheurs de l'université Laval[9], leur pertinence à l'égard de l'état de la langue commune de la Nouvelle-France me paraît des plus prometteuses. Ces recherches, qui reviennent somme toute à analyser ce qu'on pourrait appeler des «maldonnes» orthographiques au sens qu'on donne à ce terme en psycholinguistique, peuvent être révélatrices de comportements linguistiques et même cognitifs fort intéressants mais uniquement de la part de l'individu qui en est l'auteur. On peut espérer que leurs résultats puissent bientôt nous révéler certains traits de la langue commune du Canada ancestral qui ne soient pas ceux d'un seul locuteur. Mais les maldonnes de l'écriture sont encore aujourd'hui un sujet mystérieux pour lequel on ne dispose d'aucune clef adaptée à l'intelligence de ce qu'elles signifient en

---

7. Le *Dictionnaire biographique du Canada* [*39*] nous apprend en outre que Simon Denys fut anobli par Louis XIV en 1688 sur une recommandation antérieure de Jean Talon et qu'en 1660, il était procureur fiscal et receveur général pour le compte de la Compagnie des Cent Associés.

8. Je distingue soigneusement le caractère proprement documentaire de ces sortes de témoignages du caractère proprement descriptif d'une autre sorte de témoignages, contemporains de l'abbé Grégoire, auxquels j'accorde plus loin une toute autre importance en raison de la nature intentionnelle des observations qui sont à la source des seconds mais non pas des premiers.

9. Voir notamment JUNEAU [*62*], JUNEAU & L'HEUREUX [*64*] et POIRIER [*90*]. Consulter aussi SEGUIN [*100*] pour une excellente introduction aux problèmes que soulève entre autres l'œuvre de Gile Vaudelin dont la *Nouvelle manière d'écrire comme on parle en France* présente, aux dires de Séguin, «l'incomparable intérêt d'avoir cherché à transcrire le français tel qu'on le parlait un peu après 1700» [*100*:37]. Il saute aux yeux que la nature intentionnellement descriptive de l'œuvre de Vaudelin confère à l'étude de sa graphie une valeur linguistiquement plus significative que celle à laquelle peut prétendre une étude de la graphie menée sur un corpus d'une autre nature.

regard de l'usage. Quoi qu'il en soit, le livre de comptes de Pierre Simon [10], «farinier» né à Québec le 5 mars 1662, que JUNEAU et POIRIER [63] ont étudié avec grand soin présente l'avantage d'une écriture rudimentaire beaucoup plus indicative que celle des hommes de loi de la même époque. Il suffirait de quelques autres études du même genre pour avoir une bonne idée de la façon dont les patois se sont incorporés à l'usage du parler françoys.

LE STATUT LINGUISTIQUE ET LA LÉGITIMITÉ

Il me faut maintenant procéder à un premier amarrage du modèle combinatoire. L'outil conceptuel dont j'ai déjà touché un mot et qui va servir de point d'attache s'appelle le «statut linguistique» du locuteur natif. Ceci mérite d'être discuté quelque peu tant il n'est pas évident que la *légitimité* constitue le terrain d'ancrage de ce concept méthodologique. Je m'explique.

Autant le locuteur-auditeur idéal du modèle chomskyen se présente-t-il comme un être désincarné, libéré de toutes les contingences et gouverné par sa seule compétence linguistique, autant vais-je me référer à un locuteur natif gouverné, pour ne pas dire prisonnier voire aliéné, par la dimension psycho-sociale du langage. Or l'une des constantes inévitables de cette aliénation linguistique a un nom: c'est la légitimité de la langue.

Cette légitimité a une histoire.

Du temps de la féodalité, le vassal fut un justiciable asservi au dialecte de son suzerain. Du temps des monarchies, le sujet du roi était un justiciable asservi au parler françoys de la Cour. À l'époque des démocraties, le citoyen est toujours semble-t-il, un justiciable mais néanmoins asservi à la langue française de son État.

Parce que nul locuteur natif ne peut se soustraire à l'emprise de l'usage légitime de sa langue — car avant d'être un sujet parlant, la personne humaine est un être justiciable —

---

10. S'appuyant sur le fameux dictionnaire généalogique de Tanguay, les auteurs font mention de ce que l'origine provinciale des parents de Simon restent inconnues. Or il est fait mention dans TRUDEL [*104*:255] de ce que le père, Hubert Simon dit Lapointe, est originaire de l'Île-de-France ce qui explique pourquoi Pierre Simon dit Delorme écrit en français.

celui-ci intériorise très tôt l'ordre conventionnel des usages linguistiques. Le texte de loi incarne donc l'usage légitime par excellence et tous les autres se situent par rapport à lui.

Sans nier l'aspect proprement dialectique que renferme la notion d'usage légitime de la langue puisqu'on ne saurait faire abstraction de celle de *pouvoir* et par voie de conséquence, de classe sociale détentrice du pouvoir, qui lui est étroitement associée, je vais circonscrire la légitimité à l'aspect littéral de ce terme voire, l'aspect étymologique.

Ainsi, l'usage légitime de la langue s'impose-t-il au locuteur natif par le biais des formes linguistiques qui permettent d'exprimer, de formuler et de véhiculer la Loi prise dans un sens très large. Le texte de loi *fait* la langue légitime et même davantage: il fait la tradition écrite. La devise des hommes de loi: «Lex est quod notamus» est on ne peut plus éloquente à cet égard.

Le notoire «Nul n'est censé ingorer la loi» entraîne irrémédiablement le corollaire suivant: nul sujet parlant n'est censé ignorer l'usage légitime de sa langue ou, de façon plus subtile, tout locuteur est réputé le connaître. Voilà une constante que l'on retrouve à toutes les époques et même du temps de la Nouvelle-France.

Quant à l'habitant de la jeune colonie, l'usage légitime du françoys s'introduisait dans sa vie le plus fréquemment par le biais du contrat: contrat de censive, contrat de servage, contrat de louage, concessions de toutes sortes, etc. Même pour lui, la légitimité de la langue qui découle de l'institution légale est dotée du pouvoir insigne de ne laisser personne indifférent, ne serait-ce qu'en vertu de l'absence du droit à l'ignorance.

Il y a alors une généralisation à saisir entre d'une part, ce pouvoir exercé sur le locuteur natif et d'autre part, cette idée de «puissance innée d'une langue» que William MACKEY [77:214] articule dans le cadre d'une situation de bilinguisme ou de multidialectalisme de contact.

Je pense en effet qu'il émane de l'usage légitime reconnu au sein d'une même langue une force de même nature que celle qu'a étudiée MACKEY [77:199 et ss.] dans le contexte du contact de deux langues différentes. Pour ce linguiste de réputation inter-nationale de l'université Laval, cette force se mesure, se quantifie, s'évalue. Il a proposé un ensemble de formules mathématiques capables d'intégrer pas moins de sept indices distincts composant ce qu'il appelle la puissance innée d'une langue, indices qui sont ceux de la population parlante, de la dispersion des locuteurs et de leur mobilité, de la force économique d'un peuple, de la force idéologique qui l'anime et de l'influence culturelle qu'il a, traduite en termes de patrimoine et de production d'imprimés. C'est cette puissance innée d'une langue sur une ou plusieurs autres qui, combinée avec la distance géographique qui les sépare ainsi qu'avec l'écart structurel de leur système de règles, permet de conférer à la notion d'attraction linguistique un caractère scientifique indéniable.

Compte tenu de cet arrière-plan sur lequel se profile la légitimité de certains usages linguistiques, je préconise une démarche qui consiste à faire de *l'habitant* de la Nouvelle-France, de quelque province qu'il origine, un *locuteur* natif que l'on peut caractériser en fonction de la légitimité que reflète à cette époque le parler françoys de l'Île-de-France. J'accomplis cette caractérisation en lui assignant un *statut linguistique,* sorte d'attribut social non pas du locuteur «idéal» mais plutôt du locuteur «ordinaire».

Car ce locuteur ordinaire ne reste jamais «neutre» vis-à-vis de la langue légitime. Un jour ou l'autre dans sa vie, il intériorise la distance qui sépare son parler vernaculaire de la langue légitime. Incapable d'échapper au pouvoir de la légitimité, il subit *l'attraction* de cet usage tout autant qu'il se trouve sous l'influence de la *rétention* qu'exerce sur lui son «parler ordinaire» pour reprendre l'heureuse expression, bien que traduite, de l'éminent sociolinguiste américain William LABOV [66].

En conclusion de ce point préalable, je définis l'usage légitime, au sens étymologique de l'adjectif, comme l'ensemble codifié des pratiques et des formes linguistiques grâce auquel la Loi en général est véhiculée au sein d'une communauté vouée à la tradition écrite. C'est le résultat d'un travail de codification séculaire qui permet aujourd'hui d'incarner et même de matérialiser l'usage légitime de notre langue par ce qu'il est convenu d'appeler les «normes» linguistiques. Nous voilà donc fixés sur le rôle qu'il convient de faire jouer à la légitimité dans le cadre d'une théorie de la francisation axée sur le concept méthodologique de statut linguistique.

Appliqué au cas de la Nouvelle-France, le statut linguistique doit permettre de caractériser non seulement chaque individu qui entre dans la composition de la population de la colonie mais aussi chaque entité géographique — provinces, comtés, régions ou «pays» — dialectalement spécifique rattachée au royaume de France à la même époque. Chaque locuteur de la Nouvelle-France jouit donc d'un statut linguistique particulier de même que chaque province.

Qu'est-ce que le statut linguistique?

Par statut linguistique d'un locuteur natif, il faut entendre sa situation personnelle vis-à-vis de sa connaissance active de l'usage légitime qui gouverne sa langue. Cette connaissance est déterminée grâce à l'application méthodique du critère de l'intercompréhension.

Tout comme il est possible de mesurer le degré de bilinguisme d'un individu en recourant, à l'instar de MACKEY [77:372 et ss.], à une combinatoire faisant intervenir un grand nombre de paramètres, il me paraît faisable d'évaluer chaque locuteur natif établi en Nouvelle-France en raison du degré de compréhension effective du parler françoys qu'il est raisonnable soit de lui *attribuer* dans le cas d'un immigrant, soit de lui *assigner,* dans le cas d'un autochtone (locuteur né au Canada). C'est là un point de méthode que je préciserai plus loin.

Comme il est hors de question de caractériser les pratiques elles-mêmes des immigrants français et des premiers Canadiens de la Nouvelle-France en termes de pratiques conformes ou non à la norme du parler françoys parce que d'une part il n'en existait pas encore une à cette époque et que, d'autre part, on ne peut évidemment pas porter de jugements de grammaticalité sur leurs énoncés, il faudra se contenter d'une évaluation «oblique». Somme toute, l'alternative dont elle se sert n'offre que trois choix: l'intercompréhension est soit nulle, partielle ou totale lorsqu'un locuteur de «langue maternelle» X échange avec un locuteur dont le parler x s'assimile à l'usage légitime de son temps.

Dans la théorie de la francisation que je développe, on ne retiendra en définitive que trois différents statuts linguistiques fondamentaux. Ceux-ci découlent logiquement des trois degrés d'intercompréhension que j'ai retenus. Par conséquent, il y aura le statut linguistique de locuteur *francisant,* de locuteur *semi-patoisant* et de locuteur *patoisant.*

Peut-on préciser le profil de chacun de ces trois personnages linguistiques? Sans aucun doute.

Je vais considérer un locuteur comme francisant celui dont on peut raisonnablement présumer qu'il comprenait et s'exprimait ordinairement dans l'une ou l'autre des variantes du dialecte de l'Île-de-France. Ce statut suppose implicitement qu'un tel locuteur a une connaissance *active* de ce dialecte. Dans ce cas, on conviendra que le critère de l'intercompréhension s'applique sans problèmes si les témoignages invoqués sont concordants.

Le locuteur semi-patoisant est celui dont on présume qu'il a seulement la connaissance *passive* du dialecte de l'Île-de-France alors que son parler ordinaire s'apparente à un autre dialecte. Le critère de l'intercompréhension partielle s'applique avec une marge de manœuvre assez large, on le comprend. En effet, le semi-patoisant recourt à sa connaissance passive du parler françoys dans des circonstances exceptionnelles pour lesquelles il est capable au besoin d'échanger quelques mots courants, quelques expressions «touristiques», voire de soutenir une courte conversation. Mais chez lui, en famille comme avec le voisin, c'est le parler ordinaire, son patois maternel, qui reprend le dessus.

Quant aux patoisants, ils n'ont ni connaissance active ni connaissance passive du dialecte de l'Île-de-France. Leur parler ordinaire, c'est leur patois maternel, en toutes occasions. Ils ignorent la langue légitime sans en ignorer l'existence puisqu'ils ne peuvent se soustraire aux prescriptions de la loi. Mais ils ne sauraient s'acquitter de leurs devoirs de sujets du roi — gabelle, cens, corvée, etc. — en parlant «sans truchement» comme on disait à l'époque. Lorsque la situation l'y oblige, le locuteur patoisant est à la merci d'un interprète charitable.

Les masses parlantes en tant que forces linguistiques

L'avantage que représente une description articulée autour du concept de statut linguistique réside surtout dans ce qu'elle autorise la composition de *masses parlantes* qui peuvent agir en véritables forces linguistiques au sein d'une communauté quelconque. Chaque locuteur de même statut linguistique participe nécessairement à l'une des trois masses parlantes regroupant l'ensemble des locuteurs francisants, semi-patoisants ou patoisants. Ces masses parlantes appartiennent à la structure sous-jacente de l'inconscient collectif qui gouverne une communauté linguistiquement hétérogène. Telle est à mes yeux la seule utilité des données statistiques dans le cadre d'une théorie de la francisation. Le statut linguistique d'un locuteur natif permet donc de convertir chaque élément d'une population donnée en élément de masses parlantes distinctes, dénombrables et quantifiables. C'est ce concept méthodologique qui peut conférer à l'arithmétique des effectifs d'immigrants une certaine valeur qui soit linguistiquement significative.

Il est à noter qu'on obtient le même résultat lorsque la démarche concerne non plus des individus mais des entités géographiques. En ce qui a trait à la France de l'Ancien régime, chaque province de même statut linguistique s'intègre dans l'une des trois composantes coexistant à l'intérieur du territoire géopolitique tel qu'il se définissait autour des années 1660. On obtient alors une géographie de la francisation fondée sur le territoire qu'occupent respectivement les trois forces sous-jacentes de la situation linguistique de ce pays. Cela donne la carte qui se trouve en fin du chapitre III.

Jusqu'à présent, rien n'autorise à penser que la coexistence de masses parlantes au sein d'une communauté dialectement hétérogène puisse automatiquement engendrer un *rapport de force* linguistique. On peut en effet concevoir cette coesixtence comme étant soumise aux lois de l'équilibre stable. Des forces qui s'ignorent ne peuvent pas engendrer un véritable rapport de force.

Pour qu'il y ait rapport de force linguistique, il est nécessaire d'identifier une *dynamique* propre obéissant aux lois de l'équilibre instable. C'est elle qui fera naître un état de concurrence entre masses parlantes francisante, patoisante et semi-patoisante. Il devient alors possible de parler en termes de langue «dominante»/«dominée» au sens objectif de l'expression et non au sens moral qu'on lui donne le plus souvent.

Il n'est pas évident, dans ces conditions, que le facteur «prestige» qui est dévolu à l'usage légitime l'emporte sur le facteur «déconsidération» qui affecte les autres usages, ni même que les paramètres externes (ou conjoncturels) qui ont agi sur les masses parlantes de la Nouvelle-France, par ex.: administration, clergé, armée, environnement, etc. aient été plus déterminants que les paramètres internes qui les concrétisent, par ex.: nombre, chronologie, implantation, etc.

Cette dynamique, résultat immédiat d'une situation analogue à celle des langues en contact, c'est la dynamique de l'*assimilation*. Dans le cas de la Nouvelle-France, l'assimilation linguistique s'est déroulée dans un sens univoque, favorable aux forces francisantes, ce qui a entraîné la régression puis la disparition totale des forces patoisantes et semi-patoisantes.

Autrefois et aujourd'hui

J'aurai l'occasion au chapitre quatrième d'exposer en détail certains aspects scientifiques du processus de l'assimilation linguistique. Il suffit pour l'instant d'en tracer les grandes lignes en référence continuelle avec la situation particulière qui est la nôtre, c'est-à-dire celle du bilinguisme canadien.

Je ne crois pas qu'il y ait d'objections majeures à tenter de cerner comment la population non-francisante de la Nouvelle-France s'est graduellement convertie à l'unilinguisme françoys au cours du dix-septième siècle à l'aide d'un modèle explicatif construit à partir de situations linguistiques contemporaines connues. Toute langue possède en effet dans le sujet parlant comme tel sa constante immuable grâce à laquelle il est permis de relier son état présent à son état passé.

Il y a alors une analogie à établir entre l'immigrant «allophone» qui refait sa vie dans le Québec d'aujourd'hui et l'immigrant patoisant venu de France pour s'établir dans le Canada d'autrefois même si le contexte est radicalement différent, tant s'en faut. Il demeure que l'immigrant, à quelque siècle qu'il appartienne, est un sujet parlant qui accepte implicitement de rompre avec le cadre habituel de ses pratiques linguistiques.

Tout comme le néo-canadien qui aujourd'hui se voit sollicité par les deux langues officielles du Canada, le patoisant d'autrefois devait ressentir le poids du parler françoys omniprésent dans toutes les sphères d'activité de la jeune colonie. Il ne pouvait guère compter que sur l'isolement géographique de son lieu d'habitation pour se soustraire quelque peu au contact de l'idiome légitime.

Désireux de réussir sa nouvelle vie, disposé à faire les concessions requises par son macrocosme linguistique, l'immigrant d'aujourd'hui comme l'immigrant d'autrefois adopte d'instinct le comportement verbal le plus approprié à sa rapide intégration même s'il doit supporter pour un certain temps — le temps peut-être d'une génération-sacrifice — une certaine forme de déclassement social. Somme toute, l'immanence de l'assimilation réside dans l'impératif de maîtriser le plus rapidement possible l'idiome de communication le plus efficace qui soit au sein non seulement du voisinage immédiat mais aussi de la cellule familiale. Dans ce dernier cas, on sait que les choix d'une langue de communication au foyer ne sont pas sans incidence sur le rythme même de l'assimilation linguistique.

Je fais donc le pari que les premiers habitants du Canada furent des personnages linguistiques tout à fait comparables aux locuteurs de certaines minorités linguistiques du Canada, à commencer par les francophones. Il y aura donc à l'occasion un va-et-vient méthodologique entre le bilingue d'aujourd'hui et le semi-patoisant d'hier, entre l'immigrant «allophone» du Montréal métropolitain et l'immigrant fraîchement débarqué dans la capitale de Nouvelle-France ou encore entre le francophone de l'Alberta — dont la situation ne diffère guère, au fond, de celle de l'anglophone habitant Québec — et le patoisant isolé que fut tel ou tel de nos ancêtres.

C'est ainsi que les masses parlantes qui seront reconstituées pour la Nouvelle-France seront mises en jeu, en quelque sorte, dans une conception moderne de l'assimilation, plus précisément celle que l'on évalue par le biais des différences démographiques entre population de langue maternelle X, en abrégé LMx, et population de langue d'usage Y, en abrégé LUy.

Ce concept à double face est devenu vraiment opératoire, dois-je le rappeler, lors du recensement canadien de 1971. Les résultats statistiques subséquents ont d'ailleurs permis à une branche spécialisée de la sociologie du langage, la démolin-guistique, de prendre un essor surprenant grâce à une nouvelle mesure d'investigation scientifique que l'on appelle le «transfert linguistique». J'aurai certes l'occasion d'y revenir.

Replacé dans le contexte historique qui nous intéresse, le modèle LM-LU a pour effet de partager la population de la Nouvelle-France entre population de langue maternelle *et* de langue d'usage françoyse, c'est-à-dire la masse parlante des locuteurs francisants et population de langue maternelle autre que le parler françoys, celle-ci pouvant servir ou non de langue d'usage. Cette autre population est donc formée de deux masses parlantes regroupant respectivement les locuteurs patoisants et semi-patoisants.

Il y a assimilation linguistique lorsque chez un individu ou, à plus forte raison, au sein d'une masse parlante, la situation de bilinguisme évolue au détriment de la langue maternelle parce que la langue d'usage devient à son tour la langue maternelle. Cette évolution se déroule de façon linéaire comme l'illustre le schéma classique :

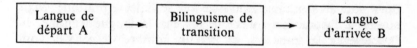

Mais un tel schéma s'avère trop peu raffiné pour illustrer le modèle LM-LU de l'assimilation. On peut lui substituer le suivant :

FIGURE III

L'assimilation linguistique selon le modèle LM-LU

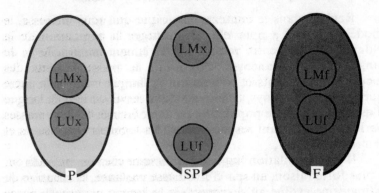

Ce schéma se lit comme suit. La masse parlante (P) située à gauche est constituée de locuteurs patoisants chez qui la langue maternelle (LMx) continue d'être la langue d'usage (LUx). Les deux sont en symbiose quel que soit le dialecte pratiqué. Mais soumis à l'attraction qu'exerce sur eux la langue légitime, en l'occurrence le françoys, un certain nombre de ceux-ci vont opter pour le françoys comme langue d'usage, avec un degré plus ou moins grand d'efficacité langagière selon les individus. Le divorce des pratiques linguistiques est alors entamé: la langue maternelle (LMx) se dissocie de la langue d'usage (LUf) et vice-versa; le processus d'assimilation devient en bonne voie de réalisation.

Ces locuteurs particuliers forment alors une masse parlante «intermédiaire» ou de transition (SP). Elle est composée de semi-patoisants ayant un dialecte x comme langue maternelle individuelle mais ayant tous le parler françoys comme langue d'usage. Cette masse parlante peut se maintenir pendant un temps indéterminé à un état stable d'auto-suffisance démographique.

Mais si la résistance à l'assimilation faiblit ou n'existe plus, cette masse parlante engendre à son tour un autre personnage linguistique qui fera l'économie d'une langue maternelle différente de la langue d'usage en adoptant celle-ci comme langue de communication au foyer dans un premier temps et comme langue maternelle dans un second. Étape terminale du processus, la réunion des deux pratiques linguistiques est donc à nouveau faite et chez le locuteur francisant, la langue maternelle (LMf) ne diffère pas de la langue d'usage (LUf). La masse parlante (F) bénéficie, on le voit, d'un accroissement continuel parce que le processus n'est pas réversible. Lorsque les deux autres masses parlantes sont complètement absorbées, ce qui peut prendre plusieurs générations, le processus d'assimilation prend fin. Nous obtenons alors une seule masse parlante (F), unilingue françoyse, aux pratiques linguistiques «unifiées» mais dont le parler se ressent encore des effets de cette «glottophagie». Il se trouve que même unifiées à l'intérieur d'un même dialecte, les pratiques langagières ont à nouveau tendance à se démarquer l'une de l'autre pour former ce qu'on appelle les *variétés* d'une langue quelconque.

Le chapitre deuxième tire maintenant à sa fin. Situé à un niveau théorique de discussion, il s'était donné pour objectifs de souligner, dans un premier temps, les principales inadéquations du modèle comptable. Malgré les bons et loyaux services qu'il nous a rendus, il semble aujourd'hui périmé. J'ai donc voulu, dans un second temps, procéder à son rajeunissement en posant les jalons du modèle combinatoire. Plutôt que de «formation du parler canadien-français», c'est de «francisation» que j'ai estimé devoir parler. La francisation, comprise comme processus d'assimilation linguistique, fait intervenir la réalité de la langue légitime par le biais d'une confrontation entre les pratiques langagières du locuteur natif et les pratiques sociales du justiciable. Le sujet parlant aux prises avec le sujet du roi, en quelque sorte. Le recours au concept de statut linguistique doit alors nous permettre d'organiser en masses parlantes concurrentes la communauté linguistiquement hétérogène des habitants de la Nouvelle-France.

CHAPITRE III

La France aux trente idiomes

Pour établir la base empirique de la pluralité des idiomes et de la perméabilité des provinces à la langue légitime, j'ai pratiqué une sorte d'extrapolation dans le temps passé à partir non pas des énoncés du dix-septième siècle mais des témoignages relatifs aux pratiques linguistiques de la fin du dix-huitième siècle. Il s'agit là d'une méthode indirecte assez frustrante pour un linguiste mais dont il doit s'accommoder lorsqu'il tourne le dos à la synchronie des faits de langue.

Reconstituer la géographie des pratiques vernaculaires des locuteurs français du dix-septième ou mieux, de la tradition orale dans son ensemble, a quelque chose d'utopique, je l'accorde. J'estime néanmoins que le jeu en vaut la chandelle. N'est-ce pas la seule façon de tirer au clair, une fois pour toutes, le redoutable et persistant contentieux de la compréhension mutuelle des colons français établis au Canada ? Toujours est-il que le dix-septième siècle semble dépourvu de documents d'enquête linguistique. Inutile de préciser que les recensements faits en Nouvelle-France par l'administration royale contiennent bien plus de renseignements sur le nombre de vaches ou d'arpents en censive que sur la langue d'usage ou la langue maternelle des sujets de Sa Majesté !

Si le siècle des Malherbe, Vaugelas, Ménage, Arnauld et Lancelot, Bouhours et combien d'autres érudits peu s'enorgueillir d'une production impressionnante de grammaires scolaires et d'œuvres divertissantes sur la langue françoyse, désolante en revanche fut la rareté des ouvrages consacrés aux dialectes ou langues régionales de l'époque. Glossaires, dictionnaires et autres lexiques consacrés aux parlers autres que le françoys ne verront le jour qu'au dix-neuvième siècle.

Bref, il faut attendre l'époque de la Révolution qui marque la fin de l'Ancien Régime pour disposer d'un document exceptionnel dans sa conception et sa méthodologie qui nous renseigne globalement sur les idiomes et les pratiques linguistiques des contemporains de cet événement historique. Je veux parler des «lettres à Grégoire» qui ont servi à ce savant ecclésiastique à élaborer son fameux *Rapport sur la nécessité et les moyens d'anéantir les patois et d'universaliser l'usage de la langue française*[1].

Aspects linguistiques d'une enquête

Véritable travail sociolinguistique avant la lettre, menée patiemment et avec beaucoup d'esprit systémique — remarquable à cette époque d'éveil scientifique — cette enquête sur les pratiques linguistiques du temps consiste, matériellement parlant, en une liasse de lettres qui sont en réalité les réponses à un long questionnaire[2] ne comportant pas moins de quarante-trois questions relatives tant aux aspects internes et externes du parler local qu'aux mœurs et coutumes de la population. Grégoire a donc distribué ce protocole d'enquête à de nombreux collaborateurs formant un véritable «réseau Grégoire» dont l'obédience jacobine était manifeste sur l'ensemble du territoire de la France[3].

---

1. L'œuvre de l'abbé Henri-Baptiste Grégoire (1750-1831) est considérable. Elle tient dans 14 volumes édités récemment à Paris (E.D.H.I.S. 1977). Cet humaniste fut curé d'Emberménil et l'un des premiers à prêter le fameux serment de la République. Il fut élu député du département de la Meurthe qu'il représenta à la Convention nationale. Évêque constitutionnel de Blois par la suite, son engagement politique fut d'une extraordinaire diversité.

   Outre l'édition faite par A. Gazier cf. GRÉGOIRE [*57*], les ouvrages de DE CERTEAU et Alii [*28*] et de BALIBAR et LAPORTE [*7*] reproduisent le texte de ce rapport *in extenso* en fin de volume.

2. Ce questionnaire est intégralement reproduit en annexe de ce livre.

3. Cet aspect particulier du déroulement de l'enquête menée par Grégoire a été particulièrement bien traité dans DE CERTEAU & ALII [*28*]. Ces auteurs ont par ailleurs incorporé à leur ouvrage quelques lettres restées inédites, documents auxquels j'aurai l'occasion de me référer plus loin.

Assez curieusement, les lettres de réponse ainsi que le *Rapport* que Grégoire en a dressé lors de sa lecture à la Convention nationale sont restés dans l'oubli depuis l'époque où le philologue Augustin Gazier[4] a publié en 1880 seulement une partie de cette enquête. Ferdinand Brunot entre autres s'y réfère abondamment et plusieurs travaux importants publiés depuis ces dix dernières années les ont remis à l'honneur[5].

En ce qui me concerne, la perspective selon laquelle je compte exploiter cette enquête à mon tour n'a pas encore eu de pareille, à ce que je sache. En effet, je désire concentrer l'examen de chaque témoignagne sur les seules réponses qui sont pertinentes à la pratique linguistique observée pour une région, un département voire une province donnés. Par extrapolation, je compte alors reconstituer, province par province, la répartition probable des statuts linguistiques au temps de la France monarchique.

Comment se présente alors le montage dialectal de la France du dix-huitième siècle? L'idée générale que l'éminent curé a soutenue devant ses pairs conventionnaires est, je le rappelle, qu'à peine un français sur cinq a, du parler françoys, une connaissance active et passive, qu'il est en d'autres termes un locuteur natif faisant usage courant de l'idiome de l'Île-de-France (GRÉGOIRE [57:294]).

Une telle évaluation quantitative de la situation linguistique ne manque pas de laisser songeur quant aux treize autres millions de locuteurs que la France avait à la même époque. Comme on s'en rend compte, une analyse chiffrée plafonne très rapidement lorsqu'elle se heurte à une difficulté de la sorte. C'est pourquoi une analyse basée sur la géographie peut s'avérer plus éclairante à cet égard qu'une analyse quantitative.

---

4. L'ouvrage de Gazier a été réimprimé en 1969 et porte le titre de *Lettres à Grégoire sur les patois de France 1790-1794* (Genève: Slatkine Reprints). L'édition originale, publiée à Paris chez Pédone, comporte outre les réponses publiées par Gazier, le texte du *Rapport* de Grégoire à la Convention ainsi qu'une introduction et des notes du philologue.
    C'est le fac-similé de 1969 qui désormais me servira de référence dans le texte sous le titre abrégé de GRÉGOIRE [57].

5. Voir plus spécialement BRUNOT [*15*, IX, 1ère partie: 204 et ss.] ainsi que CALVET [*17*: 109 et ss.].

Justement, Grégoire précise ailleurs dans son rapport de 1794 quelle est à ses yeux la véritable emprise de la langue française sur ses compatriotes disséminés sur un territoire national que l'on venait de subdiviser, il y a quelques mois à peine, en de nouvelles entités nommées «départements»[6].

Il n'y a qu'environ quinze départements de l'intérieur où la langue française soit exclusivement parlée; encore y éprouvent-elles des altérations sensibles, soit dans la prononciation, soit par l'emploi de termes impropres ou surannés, surtout vers Sancerre, où l'on retrouve une partie des expressions de Rabelais, Amyot et Montagne.

Nous n'avons plus de provinces, et nous avons encore trente patois qui en rappellent les noms.

GRÉGOIRE [57:292]

Pour ce républicain notoire et jacobin convaincu, le paradoxe d'une langue française usitée «même dans le Canada et sur les bords du Mississipi» tandis que «dans l'étendue de la République tant de jargons sont autant de barrières (...)» était tout simplement insupportable.

Si donc à la fin du siècle des Lumières l'idée générale qu'on peut se faire de la situation linguistique de la France républicaine est telle qu'avec «trente patois différents, nous sommes encore, pour le langage, à la tour de Babel, tandis que, pour la liberté, nous formons l'avant-garde des nations» (GRÉGOIRE [57:293]), que penser alors de celle de la France monarchique des années 1640-1670? Grande est ma conviction que les immigrants venus au Canada au cours de ces trois décades ont formé une masse parlante présumément structurée selon une proportion analogue à celle que Grégoire avait déduite à propos de la France révolutionnaire. Or nous verrons que tel ne fut pas le cas puisque cette proportion se ramène, au moment où Louis XIV assume personnellement la gestion de la Nouvelle-France, à un locuteur francisant pour deux non francisants.

---

6. Je rappelle, pour mémoire, que le mot *département* signifie à l'origine soit vers le XIIe siècle, une action de partager. C'est en 1790 qu'il prend le sens précis qu'il a aujourd'hui en regard de chaque entité administrative subdivisant le territoire de la France. La division actuelle de la France est le résultat d'un seul et même décret voté par l'Assemblée Constituante le 15 janvier 1790.

N'en déplaise à ceux qui, à l'instar d'un Rivard par exemple, préconisent une vision «optimiste» de la francisation en posant que les colons patoisants émigrés de France «savaient» le françoys au point même qu'il y aurait peu ou prou de problèmes d'intercompréhension, l'influent curé d'Emberménil savait de quoi il parlait en matière de dialectes. Lui-même était d'ailleurs fort bien placé pour en apprécier les différences puisqu'il avait la maîtrise de sept ou huit langues, semble-t-il.

Quoi qu'il en soit de «l'objectivité» idéologique de son questionnaire[7], cet érudit a fait une ample moisson de témoignages. Les attestations qui y sont relatives aux pratiques linguistiques des locuteurs natifs de son époque ont, sans conteste, une valeur de reportage irremplaçable parce qu'elles ont été faites avec l'intention d'observer et de rendre compte. Pour le linguiste qui observe les faits de langue, ce genre d'attestations est parfaitement valable lorsqu'il s'agit de déterminer si les «faits de pratique» corroborent ou contredisent le critère de l'intercompréhension des locuteurs.

Les désormais classiques citations de l'abbé Grégoire, que j'ai à mon tour réitérées plus haut, laissent clairement transparaître la réalité universelle d'une situation de langues en contact et de bilinguisme de masse. À preuve, le recours fréquent par les correspondants de Grégoire à des tournures telles que: «ignorer la langue nationale», «être incapable de soutenir une conversation suivie»; «entendre la langue française» ou «ne pas être entendu des habitants»; «se faire difficilement comprendre» ou «avoir de la peine à se comprendre»; l'aptitude à «parler sans truchement» comme celle de «faire un usage universel» de la langue française, ce qui constitue une réponse «soufflée» par Grégoire. De telles expressions reviennent constamment dans toutes les lettres. Il n'y a, je crois, aucune raison de douter que ceux qui les ont utilisées n'aient voulu réellement traduire avec les mots les plus justes, les plus appropriés, ce qu'ils étaient à même d'observer autour d'eux. En fin de compte, ces tournures traduisent un aspect ignoré de ce que De Certeau, Julia et Revel

---

7. D. Julia soutient à ce propos, dans le 1er chapitre de l'ouvrage collectif DE CERTEAU & ALII [*28*: 21 et ss], que Grégoire avait déjà son idée faite sur la nécessité d'anéantir les patois, ce dont on peut facilement se rendre compte à la lecture du questionnaire. BRUNOT [*45*: IX, 1ère partie: 12] avait aussi émis une idée semblable.

ont appelé «une dynamique de la distance» affectant les patois et la langue française. Elles donnent en effet la mesure de l'intercompréhension.

Nombreuses sont les réponses à certaines questions précises qui font état de ce que la langue française a déjà établi ses positions de «première langue seconde» apprise par une bonne partie des sujets parlants qui vivent en milieu urbain ainsi que par l'élite bourgeoise et aristocratique. Car toute la différence est là: pour un patoisant, le parler françoys doit s'apprendre[8]. C'est une difficulté de taille, qu'avait bien relevée le curé de St-Amand-de-Boisse, dans le district de Bergerac, l'abbé Fonvielhe, le plus averti des correspondants de notre ecclésiastique:

> Il n'y a pas plus loin du patois latin de nos scholastiques en langage harmonieux de Virgile et de Cicéron, que du patois de nos campagnes, de nos villes et même de Paris au langage de Racine de Buffon ou de Bossuet. Et si l'on veut savoir à quelle langue on reviendra à la fin, il semble que ce sera à celle du peuple, parce qu'elle ne demande ni combinaison, ni effort, ni travail. Tandis que le patois français demande une étude particulière et une certaine contention d'esprit.
>
> DE CERTEAU & ALII [28:204]

Supposons qu'une partie de la population immigrante d'origine patoisante vivant en Nouvelle-France ait eu la chance d'apprendre le parler françoys, qui dans une école de La Rochelle, qui dans une Petite École de Caen, d'Amiens ou de Saintes. Peut-on vraiment croire que les problèmes de communication eussent été résolus pour autant entre Provinciaux et Parisiens? Pour celui ou celle qui n'avaient pas eu l'occasion, même éphémère, de connaître Paris et ses maraîchères de la Place Maubert, quelle ressemblance pouvait-il y avoir entre le françoys de la petite école et celui des locuteurs françoys ordinaires de l'Île-de-France? Il y a fort à parier que leur compréhension mutuelle devait souffrir de quelques silences embarrassés.

---

8. C'est une propriété de la langue légitime que de s'imposer à tous en tant qu'objet de connaissance — légitime lui aussi —, ce qu'avait finement remarqué Jean Godard à son époque pour qui «tous les Hommes ont langue et parolle» mais que seule la première s'obtient «selon la connaissance, qu'on acquiert de la Langue Françoise, par jugemant & travail» GODARD [54:32].

Qu'il suffise pour s'en convaincre de faire appel à l'expérience plus contemporaine qu'ont vécue nombre de nos compatriotes anglophones subitement plongés en milieu québécois francophone et mettant à l'épreuve leurs connaissances du français légitime appris dans une école de Toronto, par exemple, au moyen d'une méthode fort prisée telle *Voix et Images de France* ou n'importe quelle autre. Quel désarroi! Quelle incompréhension! Comment s'entendre, dans ces conditions, avec des gens dont le «lousy French» leur paraît tellement éloigné du français dit international...

Mais je reviens à l'enquête de Grégoire.

Relire Grégoire

Il est regrettable que les réponses des correspondants de notre enquêteur qui sont parvenues jusqu'à nous ne couvrent que très imparfaitement le territoire de la France révolutionnaire. Pour les régions demeurées sans attestations valables des pratiques linguistiques des populations, on se perd évidemment en conjonctures. Soit que les démarches de Grégoire soient restées lettres mortes. Soit encore que certaines lettres aient été détruites parce que jugées trop compromettantes à l'époque de la Terreur.

Toujours est-il que la carte suivante, extraite de l'ouvrage de De Certeau, Julia et Revel, permet de se rendre compte de l'importance des aires géographiques impliquées dans l'entreprise.

FIGURE IV

Régions couvertes par les réponses
au questionnaire de Grégoire

(d'après DE CERTEAU & ALII [27:36])

● Résidence du correspondant

////// Région couverte par la réponse

Le lecteur pourra aisément constater, en se reportant à l'ensemble du questionnaire reproduit en annexe, que la plus grande partie des questions regarde les mœurs des paysans plutôt que l'usage linguistique comme tel. Il n'y a qu'un petit nombre d'entre elles qui concernent spécifiquement la pratique ou les traits descriptifs des patois.

Il vaut la peine de mettre en relief les questions qui sont le plus susceptible de fournir les renseignements pertinents au but que nous poursuivons qui demeure l'attribution d'un statut linguistique à chaque province française. Il s'agit plus particulièrement de la première question ainsi que des questions seize à vingt du formulaire d'enquête.

QUESTION 1
L'usage de la langue française est-il universel dans votre contrée? Y parle-t-on un ou plusieurs patois?

QUESTION 16
Ce patois varie-t-il beaucoup de village à village?

QUESTION 17
Le parle-t-on dans les villes?

QUESTION 18
Quelle est l'étendue territoriale où il est usité?

QUESTION 19
Les campagnards savent-ils également s'énoncer en français?

QUESTION 20
Prêchait-on jadis en patois? Cet usage a-t-il cessé?

Sans conteste, ce sont les questions qui cernent le mieux la situation linguistique existant à l'époque de Grégoire à cause des précisions géographiques ou des références chronologiques qu'elles sollicitent.

D'un point de vue méthodologique, quelques précisions ne me semblent pas superflues.

De manière générale, j'ai étendu à l'ensemble de la province à laquelle appartient la région ou le département faisant l'objet d'un commentaire ou d'une attestation quelconque le statut linguistique que l'on peut empiriquement déduire des réponses obtenues des précédentes questions entre autres.

Il arrive souvent que le même correspondant peu familier avec ce genre d'exercice qu'il exécutait néanmoins avec beaucoup de bonne volonté, fournisse des réponses apparemment contradictoires. Par recoupement avec certains détails révélés fréquemment dans les autres réponses, il est alors souvent possible de tirer une ligne quelque part autorisant l'attribution d'un statut linguistique donné à telle ou telle autre province.

J'ai accordé dans la procédure d'attribution du statut linguistique une certaine prépondérance aux témoignages relatifs aux pratiques linguistiques dans les campagnes de préférence à ceux qui concernent les villes. Rien de plus normal à une époque où, pour l'ensemble du royaume, la proportion de la population urbaine peut être estimée à 16% environ (DUPÂQUIER [46:40]). Il y avait donc de fortes chances que l'immigrant français installé en Nouvelle-France en 1663 soit d'origine rurale[9].

J'ai aussi fait prévaloir tout renseignement attestant des pratiques linguistiques antérieures à celles du temps de Grégoire. C'est notamment l'avantage des questions 2, 20 et même 39.

Enfin, en l'absence de tout témoignage permettant d'authentifier les pratiques linguistiques d'une région donnée, j'ai dû suppléer au manque d'informations proprement linguistiques par des informations connexes au domaine de la langue, relatives pour l'essentiel à l'alphabétisation. J'ai eu aussi recours à nos connaissances actuelles en dialectologie. C'est sur de telles bases que j'ai dû me résoudre à développer une argumentation justifiant l'attribution d'un statut linguistique à une province comme la Normandie, par exemple, pour laquelle la décision à prendre s'avère cruciale, on en conviendra.

Ces précisions mettent donc un terme aux points de procédure que soulève la récupération de l'enquête Grégoire en regard du phénomène de la francisation de la Nouvelle-France.

---

9. Selon TRUDEL [104:22], le fait de tirer ou non sa subsistance du sol est un critère qui permet de distribuer la population du Canada en 1663 respectivement en 67,2% à base rurale contre 22,8% sans base rurale. Il est important de préciser en outre que le fait d'être un colon à base rurale n'entraîne pas automatiquement un statut professionnel d'agriculteur. C'est un fait bien établi que la plupart des immigrants étaient des journaliers ou des hommes de métiers itinérants, sans expérience vécue de la terre. C'est ce qui explique en partie le faible rendement économique de l'exploitation agricole de la Nouvelle-France ainsi que le penchant généralisé chez les hommes à aller «courir les bois».

Le choc des patois qui s'y est vraisemblablement produit ne peut bien s'interpréter, j'en suis convaincu, que par référence à la France aux trente idiomes.

L'extrapolation d'une situation linguistique antérieure à partir d'une telle enquête, toute insatisfaisante qu'elle soit, n'en reste pas moins une entreprise descriptivement valable dans la mesure où elle doit déboucher sur une vision empiriquement fondée du statut linguistique attribuable aux masses parlantes impliquées par chaque province.

La France méridionale

Le territoire couvert par les dialectes apparentés de la France méridionale s'étend, grosso modo, de l'Atlantique à la frontière franco-italienne. Les Pyrénées et la Méditerranée en sont ses limites naturelles au sud tandis qu'au nord, ainsi qu'on peut le constater en se référant à la carte de la page 40, c'est la Loire à l'est et l'estuaire de la Gironde à l'ouest qui tiennent lieu de frontières dialectales naturelles.

Presque tous les dialectes et patois qui se parlent à l'intérieur de ce territoire sont apparentés à l'oc qui désigne une langue archaïque possédant des caractéristiques phonologiques, morphologiques, syntaxiques, dérivationnelles et lexicales qui la distinguent carrément de l'oil, la langue-mère des parlers de la France septentrionale.

Sont à exclure de ce territoire les enclaves linguistiques et non plus dialectales du catalan, à l'extrême sud-est, qui s'apparente au groupe des langues ibériques, et du basque, une autre langue en usage dans l'extrémité sud-ouest de la France. Bien entendu, comme je l'ai expliqué précédemment, un immigrant originaire de ces régions serait automatiquement versé dans l'effectif des forces patoisantes de la Nouvelle-France, même s'il n'est pas à proprement parler, un patoisant de langue d'oc. En tant que sujet parlant, un immigrant basque ou un immigrant catalan est aussi un non-francisant.

Le languedocien rassemble tous les parlers situés règle générale entre le domaine du gascon et du provençal. L'abbé Grégoire a obtenu trois réponses à son questionnaire, toutes trois de provenance différente bien que se référant au même dialecte.

Une première réponse lui vient du Club de Carcassonne. Ce club est à l'image des dizaines d'autres disséminés à travers la France de l'époque révolutionnaire. La réponse du Club de Carcassonne concerne l'aire linguistique qui gravite autour de cette ville. On y lit notamment en réponse à la première question :

> Dans la ville et les villages circonvoisins, le peuple entend le français, mais le plus grand nombre parle patois. Dans les milieux plus éloignés, on ne parle que le patois et le français est moins entendu. Par une suite, le patois se francise à la ville; il est plus pur à la campagne. Dans tout ce district, c'est-à-dire dans un arrondissement de trois lieues de rayon, on ne parle proprement qu'un même patois; s'il y a quelque différence, ce n'est que dans la prononciation.
>
> GRÉGOIRE [57:15]

Les auteurs prennent bien soin de préciser plus loin que les dialectes languedociens des villes relativement voisines que sont Nîmes et Toulouse sont «fort éloignés du nôtre».

Ce témoignage concorde avec celui d'Auguste Rigaud, correspondant de Grégoire à Montpellier, qui atteste que «nos paysans ne parlent guère le français». Il précise :

> Notre patois, énergiquement grossier dans la bouche des hommes sans éducation et des femmes de la halle, est agréable et même délicat dans la bouche de nos dames, qui le parlent beaucoup.
>
> GRÉGOIRE [57:11]

Plus au nord, c'est la région de l'Aveyron. Le patois qu'on y parle est le *rouergas*. C'est un ex-capucin, François Chabot, qui formule ainsi la réponse à la première question du questionnaire :

> À l'exception de quelques soldats retirés qui écorchent quelque peu la langue nationale, de quelques praticiens qui la parlent et qui l'écrivent presque aussi mal que les anciens militaires, de quelques ecclésiastiques qui prononcent toutes les lettres et d'un très-petit nombre de ci-devant nobles ou négociants qui ne sont presque pas sortis de leurs foyers, tout le reste parle généralement le patois le plus grossier, et, à quelques petites nuances près, tous les habitants de ce département parlent à peu près le même langage. Sur environ 40 000 âmes qui forment notre population, il n'y a

peut-être pas 10 000 qui entendent le français, et pas 2 000 qui le parlent ; 3 000 à peine sont capables de le lire.

GRÉGOIRE [57:53]

Le témoignage descriptif de Chabot est d'autant plus utile qu'il permet d'extrapoler la situation linguistique de l'ensemble de la région du midi de la France puisqu'il en étend la pertinence à plusieurs autres régions :

> (...) Il suffira d'ajouter que, à très peu de choses près, le patois de notre département est le même que celui des départements de la Loire, de la Drôme, de l'Isère, des Hautes et des Basses-Alpes, du Var, des Bouches-du-Rhône, du Gard, de l'Hérault, de l'Aude, d'une partie des Pyrénnées, des Basses-Pyrénnées, du Gers, de la Haute-Garonne, de Lot-et-Garonne, de la Gironde, du Lot, du Cantal et de la Lozère. La prononciation et quelques mots en font toute la différence.

GRÉGOIRE [57:58-59]

Nul doute que l'étendue du territoire impliqué dans ce témoignage a de quoi impressionner. À coup sûr, les immigrants qui en sont originaires ne peuvent pas être considérés comme des sujets parlants françoys. Ce sont des non-francisants, dont la grande majorité sont de purs patoisants et une toute petite minorité, d'authentiques semi-patoisants.

Or l'effectif de ces gens ne compte que pour un modeste 6,5% de l'immigration totale venue s'établir au Canada au cours du dix-septième siècle. En effet, le recoupement des départements identifiés par Chabot avec les provinces énumérées dans le tableau de Lortie (cf. p. 20), quoique loin de correspondre parfaitement, permet de chiffrer à environ 316 individus le contingent méridional. Cela donne en effet pour l'Auvergne, 35 immigrants, le Béarn 10, le Bourbonnais 8, le Dauphiné 24, la Gascogne 51, le Languedoc 50, le Limousin 75, le Lyonnais 33, la Marche 6, la Provence 22 et le Roussillon 2.

L'est de la France méridionale

Faisons une brève incursion dans les anciennes provinces du Dauphiné, de la Savoie et de la Provence qui ne sont guère intéressantes elles aussi, d'un point de vue purement arithmétique, pour le peuplement du Canada.

Le témoignage de Colaud de la Salcette concerne les départements de la Drôme, de l'Isère et des Hautes-Alpes. Il recoupe et corrobore celui de Chabot. Il laisse voir qu'à la fin du dix-huitième siècle cette région se ressent nettement de la pénétration du français, surtout dans les contrées situées au nord, vers Lyon. On peut supposer qu'à cette époque, le statut linguistique de ces provinces s'assimilait à celui de provinces semi-patoisantes :

> L'usage de la langue française est universel; tout le monde l'entend dans les districts de Die et dans tout le département de la Drôme. Le patois, dans presque tout le département, a peu de différences; le seul district de Nions et le Buis ont plus de ressemblance avec le provençal.
>
> GRÉGOIRE [57:175]

Il est cependant assez raisonnable de supposer qu'au dix-septième siècle, cette région était entièrement sous l'emprise patoisante puisque ce même correspondant ajoute :

> Tous les paysans parlent patois, même dans les villes; mais tous, comme je l'ai dit, entendent le français, et plusieurs le parlent avec facilité. (...) On a prêché en patois; mais depuis plus de trente ou quarante ans, l'usage en est aboli, excepté dans le district de Nions, voisin de la Provence, où il arrive, mais rarement, de prêcher en patois.
>
> GRÉGOIRE [57:176]

Terminons l'examen de cette aire dialectale avec une région quelque peu problématique et qui se trouve dans la zone d'influence de Lyon. Au cœur d'un territoire de transition dialectale entre la langue d'oil et le provençal, la province du Lyonnais exerce une attraction sur les régions limitrophes qui appartiennent à d'autres provinces telles les Dombes et la Savoie à l'est, le sud de la Bourgogne ou Mâconnais au nord; le Bourbonnais à l'ouest.

L'immigration en provenance de ce territoire est somme toute négligeable et concerne environ 75 personnes suivant une répartition approximative des chiffres avancés par Lortie. Il existe néanmoins deux témoignages qui présentent un certain intérêt pour l'entreprise que nous menons. L'un est celui d'un correspondant anonyme et concerne les régions du Mâconnais des Dombes et de Bresse. L'autre est celui du procureur lyonnais

Morel l'aîné[10] et concerne la ville de Lyon ainsi que la province elle-même. Pour le premier,

> La langue française n'est principalement en usage que dans nos villes et entre les personnes aisées. Les gens de la campagne l'entendent, mais ne s'en servent point entre eux. Ils parlent une espèce de patois, qui est unique dans chaque paroisse.
>
> GRÉGOIRE [57:220]

Quant au second, il écrit:

> La langue françoise est entendue dans tous les villages de cette province et des environs. Les habitants de ces villages parlent tous entre eux un patois, qui, au fond, est le même; mais il diffère plus du français à mesure qu'on s'éloigne plus des grandes villes.
>
> DE CERTEAU & ALII [28:214]

Il se dégage de ces constats linguistiques que la situation et l'histoire particulières de cette région l'ont rendue particulièrement vulnérable à l'introduction du français. Il est probable qu'au dix-septième siècle, le dialecte françoys donnait des signes tangibles de pénétration au niveau des couches sociales les plus privilégiées. On peut alors faire l'hypothèse qu'une telle région en était à un stade préliminaire lui permettant d'accéder au statut de région semi-patoisante. Le fait est qu'à la fin du dix-huitième, le parler françoys semblait faire partie de la compétence linguistique passive de tous les habitants du Lyonnais et des contrées limitrophes. Quoi qu'il en soit, les effectifs immigrants de cette partie de la France méridionale, même en étant marginaux, sont à verser dans la masse des sujets non-francisants. Ils sont venus grossir un peu les principales forces capables d'opposer une certaine résistance, pendant un laps de temps plus ou moins long, aux prétentions du parler françoys de les remplacer en tant que langue maternelle des habitants du Canada.

L'ouest de la France méridionale

En poussant vers l'Ouest de la France méridionale, on obtient des témoignages tout aussi révélateurs sur l'usage du dialecte gascon. L'aire dialectale qu'il recouvre est relativement

---

10. La réponse de Morel à Grégoire ne fait pas partie des *Lettres à Grégoire* figurant dans l'ouvrage édité par A. Gazier. Il s'agit d'un document resté inédit jusqu'à ce que DE CERTEAU et ALII [28] l'incorporent à leur ouvrage.

vaste comme le montre la carte de la page 40. L'estuaire de la
Gironde constitue une frontière naturelle qui le démarque des
parlers en usage au nord, notamment du parler commun du Sud-
ouest répandu dans les quatre provinces vedettes de
l'immigration française au Canada : l'Aunis et les îles avoisi-
nantes, l'Angoumois, le Poitou et la Saintonge. Que le dialecte
gascon ait fortement marqué le parler commun du Sud-ouest
apparenté à la langue d'oil, cela est plus que probable, comme on
le verra. Pour l'instant, voyons quelle est la situation qui prévaut
au sud de la Gironde qui subit l'attraction de sa capitale
Bordeaux.

C'est un homme de loi, Pierre Bernadau, qui se charge de
répondre au questionnaire de Grégoire. Résidant à Bordeaux et
lui-même auteur d'une traduction en dialecte gascon de la charte
des Droits de l'Homme, Bernardeau témoigne de ce que :

> (...) dans le district de Bordeaux, (...) l'usage de la langue
> française n'est point absolument universel. Dans Bordeaux,
> le bas peuple y parle habituellement gascon, et les cris des
> marchands (excepté ceux qui sont étrangers) sont encore
> tous en patois. (...) Il y a cinquante ans que les négociants
> parlaient volontiers gascon. Plusieurs anciens richards
> aiment encore à le parler.
>
> GRÉGOIRE [57 : 136-137]

On voit donc ici l'image d'une ville portuaire très animée
qui, à l'instar de La Rochelle située à moins de deux cents
kilomètres plus au nord, a fortement contribué à la publicité de
la Nouvelle-France, entre autres colonies. Le témoignage du
lettré Bernadau permet d'imaginer qu'à l'époque du peuplement
du Canada, l'usage du françoys devait être exceptionnel même
dans le négoce.

Au sud-est de cette région se trouve la Dordogne, une
contrée de transition linguistique entre le dialecte gascon et
le limousin. On y parle le périgourdin. Ce qu'en dit Fournier de
La Charmie en réponse aux questions de Grégoire est fort
éclairant :

> L'usage de la langue française est universel en Périgord,
> c'est-à-dire que les gens aisés la parlent habituellement,
> surtout dans les villes. Mais le petit peuple ne parle que le
> périgourdin, qui n'est que l'ancienne langue de *oc*, modifiée
> par la grossièreté ou, pour mieux dire, la misère des
> habitants.
>
> GRÉGOIRE [57 : 154]

Plus loin, il précise:

> Je me souviens, et il n'y a pas vingt ans, que c'était un ridicule de parler français: on appelait cela *francimander*; aujourd'hui, au moins dans les villes, les bourgeois ne parlent que cet idiome, et tout le monde l'entend. Dans la campagne, on ne peut guère que parler périgourdin, surtout au peuple, sur peine de ne pas être entendu.
>
> GRÉGOIRE [57:155]

On se rend compte que la pénétration du français commence à peine à faire sentir ses effets dans cette région à l'époque où l'abbé Grégoire a fait son enquête. Il y a fort à parier dans ces conditions qu'à l'époque de l'immigration française au Canada, soit quelque 130 années plus tôt au moment le plus intense de celle-ci, cette région fût entièrement patoisante même dans les grandes villes.

Une situation identique devait prévaloir dans les régions du centre de la France méridionale. Malgré l'intérêt mineur qu'elle représente en regard de l'immigration, plusieurs témoignages reçus par Grégoire viennent confirmer les allusions précédentes de Bernardau.

C'est ainsi qu'aux dires du Comité créé par la Société des Amis de la Constitution de Maringues, formés des «ci-devant citoyens» Tachard, Baudit et Bouau, la situation linguistique qui s'observe pour toute la contrée du Limagne «traversée par la grande rivière d'Allier» est telle que[11]:

> (...) la langue française est bien loin d'être universelle, même dans les grandes villes, où presque tout le peuple a conservé un patois qui se diversifie à l'infini d'un village à l'autre, au point que tel paysan ne se fait que difficilement comprendre à trois ou quatre lieues de son domicile.
>
> GRÉGOIRE [57:162]

Par ailleurs, la longue réponse des Amis de la Constitution de Limoges autorise à tirer les mêmes conclusions que précé-

---

11. Le Limagne et le Forez sont deux régions dans lesquelles les patois auvergnats règnent en maître. Compte tenu de la ressemblance géographique et de la parenté dialectale qu'elles ont avec celles qui les prolongent au nord, il est assez aisé de se figurer qu'une province comme le Bourbonnais, située aux limites nord de l'Auvergne, puisse être elle aussi considérée comme entièrement patoisante.

demment quoiqu'elle soit révélatrice d'un faible mouvement de pénétration du français à la fin du dix-huitième siècle si l'on en juge par ces propos:

> (...) La langue française n'est en usage que dans les principales villes de Haute-Vienne, sur les routes de communication et dans les châteaux.
>
> GRÉGOIRE [57: 166]

> (...) Nous ajouterons qu'il n'y a pas encore un siècle que les prières publiques se faisaient en patois au prône de l'église Saint-Pierre, première paroisse de la ville de Limoges; qu'il n'y a pas dix ans que le prône se faisait en patois aux premières messes des trois principales paroisses auxquelles assistaient les domestiques et les artisans; que les prédications se font encore actuellement en patois par les curés de campagne, et que les missionnaires n'y parlent pas d'autre langue.
>
> GRÉGOIRE [57:171]

Il est temps de tirer une conclusion d'ensemble en ce qui a trait à la France méridionale. Il est parfaitement justifié, du point de vue linguistique, d'assigner aux immigrants français originaires des provinces méridionales le statut de locuteur patoisant. Si l'on ajoute aux effectifs des provinces déjà citées ceux de la Guyenne (124) et du Périgord (45), on constate que l'immigration méridionale a fourni au total un contingent de 485 locuteurs patoisants. Sur l'ensemble des 4 894 immigrants attestés par Lortie, ces locuteurs détiennent presque 10% du rapport de force linguistique qui s'est ourdi en Nouvelle-France tout au long du dix-septième siècle.

Les parlers du Sud-Ouest

C'est une démarche devenue classique tant en dialectologie qu'en littérature ou en histoire que de regrouper dans un même ensemble les trois provinces limitrophes: Poitou, Aunis et Saintonge ainsi que le petit comté de l'Angoumois.

Le rôle crucial de l'immigration en provenance de cette région en regard du peuplement de la Nouvelle-France a été maintes fois souligné en raison surtout de l'importance numérique des effectifs. Rappelons-nous que, toujours selon Lortie, le nombre de colons que ces provinces ont fourni tout au long du dix-septième siècle a été respectivement de 569, 524, 274 et 93 individus. C'est donc un total de 1 460 immigrants, soit 30% de l'immigration totale, qui sont venus s'installer au Canada avec de réelles affinités linguistiques, sociales et culturelles. C'est sur cette base d'ailleurs que MARTIN [78] a soutenu la thèse opposée à celle de A. Rivard à propos de l'influence dialectale déterminante des parlers du Sud-Ouest sur le français du Canada. Sans vouloir contester le fait qu'il est linguistiquement motivé de regrouper sous une rubrique commune, quelque chose comme «le parler commun du Sud-Ouest», les divers idiomes de ces quatre provinces, je pense néanmoins qu'il n'est pas descriptivement adéquat de considérer l'ensemble de ces immigrants comme appartenant à un même type de locuteur en regard du statut linguistique auquel chacun d'eux peut prétendre vis-à-vis du parler françoys. Les gens du Sud-Ouest n'étaient pas tous au dix-septième siècle des locuteurs francisants au même degré, tant s'en faut comme nous allons le voir. C'est pourquoi, dans un premier temps, je vais tenter de justifier le regroupement des immigrants de l'Aunis, de l'Angoumois et de la Saintonge en tant que locuteurs patoisants, tandis que je montrerai dans un deuxième temps pourquoi il est préférable de considérer les immigrants du Poitou comme des locuteurs semi-patoisants.

Les patoisants du Sud-Ouest

Il est dommage que l'enquête de Grégoire ne puisse fournir aucun renseignement ni témoignage directs de la situation linguistique qui prévalait dans le Sud-Ouest à l'époque de la Révolution. Il devient dès lors hasardeux, je le reconanis, d'extrapoler celle qui pouvait prévaloir au milieu du dix-septième siècle.

En dépit de cette lacune contrariante, il s'avère que le regroupement traditionnel de ces quatre provinces soit moins justifié du point de vue linguistique que du point de vue historique bien que, selon B. HORIOT [60:280] et aussi R. CAILLAUD [16:33-34], l'homogénéité dialectale qu'on rencontre même encore à l'heure actuelle dans cette région du Sud-Ouest soit vraisemblablement le reflet du destin commun qu'elles ont souvent partagé en regard de l'histoire[12].

Quelques témoignages fragmentaires glanés ici et là dans les lettres à Grégoire révèlent qu'il s'agit à tout le moins d'une zone de transition linguistique où se concurrencent les dialectes d'oil et les dialectes d'oc. Ainsi, on note le passage suivant dans la lettre du déjà nommé Fournier de la Charmie qui mentionne le caractère « moins dur » de la prononciation du parler limousin en comparaison du périgourdin. Il ajoute alors, avec quelque ironie :

> (...) mais, quoique le patois soit supportable du côté de l'Angoumois, il conserve son âpreté jusqu'à la Nisonne, qui fait la limite des deux provinces. Là finit son règne; on est étonné, après avoir traversé ce petit ruisseau, d'en entendre un tout différent, qui a une tournure française. L'habituelle fréquentation des habitants fait qu'ils s'entendent, mais chacun parle son patois; ils sont très-disposés à s'injurier et encore plus à se battre.
>
> GRÉGOIRE [57:155]

Le dénommé François Chabot, déjà cité lui aussi, explique que « le patois de la Charente, de la Charente-Inférieure et des départements au-delà de la Loire, approche plus du français que le nôtre » (GRÉGOIRE [57:58]).

Il vaut la peine de citer un extrait de la réponse d'un correspondant déjà mentionné, l'abbé Fontvielhe, même si la région qui est concernée par son témoignage, la Dordogne, se situe juste au sud du département actuel de la Charente que recouvrait autrefois l'ancienne province de la Saintonge. Comme on sait que les frontières géo-morphologiques ou politico-administratives ne séparent jamais les zones dialectales de façon étanche et marquée, ce qu'il dit du nord de la Dordogne permet de se faire une certaine idée de la situation linguistique de la Saintonge du dix-huitième siècle. Parlant du Périgord et plus précisément de la contrée avoisinant la ville de Bergerac, il fait mention de ce que :

---

12. Dans CAILLAUD [16:37], l'auteur s'appuie sur un article de Paul Devigne paru en 1937 dans le *Bulletin de la Société de l'Amicale des Deux-Sèvres* pour établir l'usage répandu d'un patois commun dans l'ensemble du Sud-Ouest puisque, selon Devigne, ce patois ne diffère guère au début de ce siècle de celui qui se parlait en 1691, année où parut une comédie écrite en patois intitulée « Les Amours de Colas ».

> La langue française n'est pas la langue du peuple en
> Périgord où il y a trois patois distincts du moins quant à la
> prononciation. (...) Vers Bergerac,Drot, la prononciation
> est moins rude, parce que cette partie du Périgord touche à
> la gavacherie [(...) On les appelle gavaches ou gaves d'où ils
> sont venus et il est vraisemblable que grande partie des
> Saintongeais sont venus du même point] où l'on parle
> français à peu près comme en Saintonge; mais tout le
> monde s'entend assez bien quoiqu'on sache d'abord d'où est
> celui qui parle.
>
> DE CERTEAU & ALII [28:203]

Cette allusion à l'usage de la langue française dans cette
partie de la France laisse quelque peu de surprendre. Il ne
faudrait pas cependant en conclure que le dialecte de l'Île-de-
France y avait déjà solidement établi ses positions. En effet, on
doit considérer que du point de vue d'un méridional, un
patoisant s'exprimant dans un dialecte d'oil avait toute chance
d'être perçu comme un locuteur s'exprimant en français sans
accorder d'importance outre mesure au fait que ce même
locuteur pouvait être lui aussi un véritable patoisant vis-à-vis du
parler légitime. Tous ces témoignages permettent d'authentifier
le fait qu'en dépit de leur «tournure française», les patois d'oil
des provinces du Sud-Ouest n'en constituaient pas moins de
sérieuses barrières linguistiques à l'expansion du parler françoys.

Quoi qu'il en soit, une telle impression devait être avivée
par le fait que les variantes dialectales étaient directement
perceptibles à l'oreille; la différence des phonétismes d'oil et
d'oc devait constamment frapper celui qui, par son métier, se
trouvait en contact avec les habitants de la région. Situation
typique pour le locuteur vivant dans une zone de transition
linguistique et dont le dialectologue A. CASTELLANI [21]
confirme le caractère ambivalent:

> Il ressort (...) qu'il y avait anciennement un contraste assez
> net entre les parlers du nord des départements de la Vienne
> et des Deux-Sèvres dont le vocalisme était de type français,
> et ceux du sud, à vocalisme occitan (le saintongeais se
> rattachant à ces derniers).
>
> CASTELLANI [21:388]

Serait-il si aberrant, dans ces conditions, de penser que les
propos de l'abbé Fonvielhe, qui concernent la région de Bergerac,
puissent aussi s'appliquer aux contrées qui s'étendent vers

Saintes situées de part et d'autre du petit cours d'eau déjà mentionné, la Lizonne? Voici ce qu'il ajoute en réponse à la treizième question posée par Grégoire:

> (...) Le peuple de la campagne parle toujours le patois et même les gens qui parlent bien le français parlent souvent le patois en famille et avec leurs amis; (...) Dans les villes tout ce qu'on appelait le bas peuple parle patois excepté quand il a bu. Les artistes parlent presque tous français et c'est parce qu'ils ont voyagé longtemps, cependant ils perdent beaucoup de l'usage français et s'abâtardissent en peu d'années. J'ai vu des personnes parler très bien il y a dix ans et qui aujourd'hui parlent moitié patois moitié français et d'une manière presque inintelligible. En général, presque partout le peuple français comprend aisément les mots français qui ressemblent au patois et qui ont une signification commune, mais on ne doit pas se dissimuler qu'il ne fallût bien du travail et bien des années pour faire disparaître entièrement le patois et mettre le peuple à portée d'un discours tant soit peu métaphysique ou élevé. Il est pourtant certain que depuis une cinquantaine d'années le français est devenu beaucoup plus familier et plus commun.
>
> DE CERTEAU & ALII [*28*:206-7]

Assurément, il y a à l'époque du témoignage de Fonvielhe, une pénétration sensible du français dans cette région. Il semble qu'elle ait commencé à se manifester vers les années 1730-1740. Mais on peut présumer qu'à l'époque de l'immigration française au Canada soit presque un siècle plus tôt, les contrées de l'Aunis, de la Saintonge et de l'Angoumois formaient un ensemble dialectal passablement imperméable au parler françoys de Paris en dépit d'une situation particulière de zone de transition linguistique entre patois de type occitan et patois de type francisant.

On peut donner de la force à cette argumentation en faisant appel à des données qui relèvent davantage de l'instruction[13].

---

13. Dans leur monumentale étude sur l'alphabétisation des français au dix-septième siècle mais plus spécialement au début du dix-neuvième, FURET et OZOUF [*51*] mettent bien en évidence qu'il n'existe pas de relation formelle entre le retard qu'affiche une région donnée eu égard à l'alphabétisation de ses habitants et le fait qu'on n'y parle pas français mais un dialecte ou patois quelconque.

   S'il est maintenant prouvé qu'une telle relation existe dans le cas de la Bretagne, il est non moins clair qu'elle n'existe pas dans le cas du Béarn ou de l'Alsace, régions qui ont très tôt entrepris le cycle de l'alphabétisation en dépit d'un usage linguistique qui ignorait le parler françoys. La langue n'est donc pas un obstacle (Suite de la note à la page suivante)

Elles permettent de compenser en quelque sorte les lacunes de l'enquête de Grégoire découlant de l'absence de réponses ayant une pertinence directe avec les provinces du Sud-Ouest.

L'instruction sous sa forme la plus élémentaire, l'alphabé-tisation, peut servir d'indicateur du degré de francisation des habitants d'une région se situant dans la zone d'influence du parler légitime, le parler françoys. Ailleurs, dans les régions culturellement et socialement identifiées comme différentes du stéréotype de l'Île-de-France telle l'ancienne Aquitaine, par exemple, qui englobait autrefois les provinces de l'Aunis, de la Saintonge et même une partie du Poitou, il n'est pas sûr que la relation entre instruction et francisation soit soumise à une constante de cause à effet. Mais compte tenu de la situation linguistique ambivalente des provinces du Sud-Ouest, je m'en tiendrais à l'observation générale que Furet et Ozouf ont formulée en conclusion de leur analyse portant sur cette question précise :

> Il est remarquable que dans la France «intégrée», qui est aussi la France instruite et soucieuse d'instruction, l'existence et l'emploi de patois uniquement oraux — bas-normand, picard, lorrain — n'ont, pas plus que les véritables langues étrangères comme le flamand ou l'alsacien, freiné de façon significative le processus de l'alphabétisation. Dans les régions qui ont très tôt demandé — ou accepté — l'instruc-tion et la scolarisation (c'est le cas de l'Alsace, de la Flandre, de la Normandie), la présence d'une langue minoritaire, d'un dialecte ou d'un patois ne constitue pas — ou guère — un obstacle à l'alphabétisation : car il est, dès l'âge scolaire, vaincu. En revanche, au sein de la France du retard, l'existence d'un patois ou d'une langue non française tend à aggraver le retard d'instruction : mais c'est aussi la France du refus, y compris du refus de l'école.
>
> FURET & OZOUF [*51*:347]

Il ne fait aucun doute à cet égard que toute la région couverte par les quatre provinces du Sud-Ouest de la France appartienne à cette France que ces auteurs ont appelée «la

---

(Suite de la note 13)

insurmontable à l'alphabétisation parce que celle-ci correspond en réalité, comme ces auteurs et leurs collaborateurs l'ont superbement démontré, au degré de développement socio-économique des sociétés régionales et de mise en valeur du sol dont elles assurent la gestion.

France du retard» ou «la France du refus». La comparaison qu'ils établissent est claire. «Les communautés rurales lorraines et franc-comtoises, écrivent-ils, sont parties prenantes dans l'effort d'éducation populaire dès le XVIe siècle, peut-être même plus tôt, alors que celle du Poitou et de l'Aunis restent réticentes encore à la fin du XVIIe» (FURET & OZOUF [*51*:80]).

Le retard de l'alphabétisation d'un département comme celui de la Vienne rurale, par exemple, c'est-à-dire la partie continentale de l'ancien Poitou, est tel qu'au milieu du dix-neuvième siècle le nombre d'hommes et de femmes sachant signer leur contrat de mariage n'est pas plus élevé que ce qu'il était dans la France avancée du Nord-Est deux cents ans plus tôt. «La Vienne n'est d'ailleurs, précisent Furet et Ozouf, qu'une partie d'un ensemble de départements Centre-Ouest qui suivent plus ou moins la même évolution: il suffit de jeter un coup d'œil sur les scores Maggiolo de la Charente, des Deux-Sèvres, de l'Indre et de l'Indre-et-Loire pour prendre la mesure géographique de ce retard» (FURET & OZOUF [*51*:50]).

S'il y a quelque justification à penser que dans les régions francophones, je veux dire celles où se pratique l'usage d'un dialecte d'oil, le progrès de l'alphabétisation est à la mesure de la diffusion du parler françoys [14], il ne va pas de soi que le fait d'appartenir au domaine d'oil favorise le progrès de l'alphabé-tisation dans les régions qui n'assimilent que fort peu l'influence centralisatrice de l'autorité françoyse, qu'elle émane de l'ordre monarchique ou de l'ordre jacobin. Par exemple, «à la Dordogne même, où les cantons les plus analphabètes sont ceux où l'on parle les patois d'oil (le Nontronnais, au nord du département)

---

14. La situation des patois d'oil vis-à-vis du parler françoys n'est pas du tout compa-rable, eu égard à l'alphabétisation, à celle des dialectes ou patois d'oc et des autres langues qui se parlent en France. Au dix-septième siècle, l'écriture en langue d'oil n'est pratiquement plus qu'une écriture en langue françoyse et ne souffre de la concurrence d'aucun autre dialecte. En occitanie, par contre, l'écriture y fleurit dans plusieurs formes dialectales. L'alphabétisation n'entre pas en contradiction avec l'expression orale. Pour le patoisant francisant, l'apprentissage de l'écriture implique un second apprentissage, celui du françoys, langue par laquelle on accède exclusivement à la littérature ou au texte écrit en général. Pour le patoisant non francisant en revanche, l'apprentissage de l'écriture ne signifie pas nécessairement l'apprentissage d'un autre parler. Par conséquent, si l'on admet qu'au milieu du dix-septième siècle, les provinces du Sud-Ouest de la France tombaient sous le coup de l'influence de la langue d'oil, l'analphabétisme qui les caractérise peut être un indice positif du peu de progrès qu'enregistre la pénétration du parler françoys dans ces régions.

tandis que les cantons «périgourdins», où règnent les patois d'oc, sont plus lettrés» (FURET & OZOUF, [*51*:342]).

Nonobstant cette ambivalence, la mesure de l'analphabétisme que ces deux chercheurs ont établie révèle qu'entre les années 1686 et 1690, la région de l'Aunis — l'actuelle Charente maritime, autrefois Inférieure — accusait un pourcentage de signatures de contrats de mariage se situant entre 30 et 40% chez les hommes et entre 20 et 30% chez les femmes [15], tandis qu'il se situait, dans le cas de la Saintonge — l'actuelle Charente — entre 10 et 20% chez les hommes et 0 et 10% chez les femmes. En ce qui concerne l'actuel département des Deux-Sèvres, l'alphabétisation atteint entre 20 et 30% chez les hommes et entre 0 et 10% chez les femmes. La Vendée, qui correspond à la partie côtière de l'ancien Poitou, semble être une des régions les plus profondément attardées tandis que le département de la Vienne affiche un médiocre 10 à 20% d'alphabétisation chez les hommes et 0 à 10% chez les femmes (FURET & OZOUF [*51*]).

Dans la même veine, l'étude détaillée de J.-P. POUSSOU [*93*] portant sur l'alphabétisation de l'Aquitaine apporte des précisions intéressantes sur les provinces du Sud-Ouest [16]. Différant quelque peu du calcul effectué par Furet et Ozouf en raison des lacunes de leur échantillon, Poussou avance un taux d'alphabétisation de 26,2% chez les hommes et de 12% chez les femmes

---

15. Il faut préciser que cette performance se situe sensiblement plus au-dessus de la moyenne nationale à la même époque (mais voir plus loin dans le texte).

16. L'étude de Poussou met particulièrement bien en relief la situation de clivage linguistique qui existe en Aquitaine du nord. Une comparaison des progrès de l'alphabétisation dans les villes de langue d'oc et les villes de langue d'oil permet de supposer que le fait de parler en dialecte d'oil a facilité le processus d'alphabétisation dans les villes de langue d'oil au détriment des villes de langue d'oc. Sa conclusion va dans le même sens que celle qui sous-tend la thèse défendue par FURET et OZOUF [*51*]. Il écrit: «... à la variété des régions naturelles, ressources et intérêts, aux clivages sociaux marqués, s'ajoutent deux éléments de discontinuité, liés l'un à l'autre, le bilinguisme et la dichotomie naturelle, le contraste entre une masse de ruraux analphabétisés et des citadins mieux adaptés aux temps nouveaux.» POUSSOU [*93*:346].

Parlant de l'énorme retard culturel de l'Aquitaine, il ajoute: «(...) il était d'autant plus grave qu'il se doublait, répétons-le, d'un fossé linguistique. Ici, la langue nationale n'était pour la masse des gens ni d'un maniement courant, ni d'un usage facile, *a fortiori* quand il s'agissait de l'écrire. En un sens, sans que nous voulions y mettre le moindre jugement de valeur, il nous semble que le sous-développement, non pas seulement culturel mais général de l'Aquitaine, est aussi le prix d'un bilinguisme que n'accompagnait aucune alphabétisation importante.» POUSSOU [*93*:346-7].

à la fin du dix-huitième siècle pour le département de la Charente maritime. Ceux de la Charente ne sont guère plus élevés : 26,6% chez les hommes et 9% chez les femmes à la même époque et 14% chez les hommes et 5,2% chez les femmes à la fin du dix-septième siècle, entre 1686 et 1690. POUSSOU [*93*:306, n. 2]

Pour en finir au moins avec l'Aunis, la Saintonge et l'Angoumois, il est un dernier argument pour nous convaincre définitivement qu'il s'agit de provinces patoisantes. C'est celui de la politique de traduction des lois et décrets votés par l'Assemblée nationale[17]. Comme le font remarquer Balibar et Laporte, il s'agit du premier geste concret posé par la nouvelle élite dirigeante de la France révolutionnaire afin d'instaurer une véritable politique de la langue. Moins radicale que « l'anéantissement des patois » préconisé plus tard par la Convention jacobine, cette politique inaugurale de la Constituante votée le 14 janvier 1790 visait en fin de compte à faire en sorte que « les loix françaises seront familières pour tout le monde ».

L'entreprise de « publier les décrets de l'Assemblée dans tous les idiomes qu'on parle dans les différentes parties de la France »,[18] s'est avérée, on le conçoit facilement, matériellement trop difficile d'application pour qu'elle ait eu quelque chance de réussir. Néanmoins, le temps qu'elle a duré, elle a donné lieu à un vaste travail organisé dont DE CERTEAU, JULIA et REVEL [*28*:287] soulignent le « caractère industriel » qu'il a pris avec son principal instigateur, un nommé Dugas.

Or il est remarquable de constater que le plan d'ensemble élaboré par Dugas et son équipe pour couvrir une bonne partie du territoire méridional de la France prévoyait en étendre l'action jusque dans les départements de la Charente maritime

---

17. Cette question fait l'objet de plusieurs chapitres du tome IX, première partie, de l'œuvre de BRUNOT [*15*].

18. Formule empruntée à BALIBAR et LAPORTE [*7*:86-7]. Il n'est pas sans intérêt de souligner ici l'interprétation que ces deux auteurs accordent au geste politique d'instaurer la traduction des décrets. « D'un point de vue politique, écrivent-ils, il n'est pas indifférent que la démocratie fonctionne « à la traduction » ou qu'elle fonctionne « au français ». En effet, ils précisent : « Si la francisation à outrance a succédé à la traduction des décrets c'est beaucoup moins, comme le prétend Brunot, à cause de l'impossibilité matérielle que constituait la traduction qu'à cause d'un changement profond intervenu dans les formes de la lutte politique de classes. » BALIBAR & LAPORTE [*7*:90].
   N'y a-t-il pas là quelque rapprochement à faire avec ce que le Québec a connu pendant si longtemps jusqu'à ce qu'il décide de transformer le combat linguistique en instrument d'émancipation politique?

et de la Charente, [19] c'est-à-dire un territoire recouvrant justement les anciennes provinces de l'Aunis, de la Saintonge et de l'Angoumois. C'est ce que révèle la carte suivante, telle que De Certeau, Julia et Revel l'ont reproduite dans leur ouvrage.

FIGURE V

Carte illustrant l'entreprise de traduction en patois des décrets de l'Assemblée nationale

(d'après DE CERTEAU & ALII [27:288])

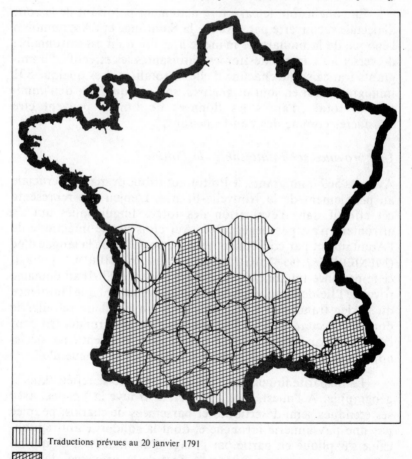

| | Traductions prévues au 20 janvier 1791 |
| | Traductions réalisées au 10 novembre 1792 |

19. Selon BRUNOT [15:33], ces deux départements font partie de la liste des 30 départements pour lesquels Dugas avait reçu du roi en 1790 la mission de traduire les décrets, mission qui lui a été confirmée l'année suivante par le ministre.

Cela démontre avec évidence jusqu'à quel point l'emprise patoisante tenait, même encore à l'époque de la Révolution, des positions de force aux portes mêmes de provinces considérées comme francisantes : l'Anjou et la Touraine. On admettra que le projet de Dugas, qui fut avalisé, ne l'oublions pas, par le pouvoir jacobin, devait certes correspondre à une forte demande en provenance des populations de ces anciennes provinces même si sa réalisation ne semble avoir débouché sur aucun résultat concret.

En conclusion, le caractère nettement patoisant de la zone dialectale recouverte par l'Aunis, la Saintonge et l'Angoumois à l'époque de la monarchie m'incite à croire qu'il est raisonnable de verser au compte des forces patoisantes les effectifs d'immigrants français que chacune d'elles a totalisés. Les quelque 891 immigrants qui en sont originaires, soit presque 18% de l'immigration totale d'après les données de Lortie, peuvent être considérés comme des non-francisants.

Une province semi-patoisante : le Poitou

Avec ses 569 immigrants, le Poitou contribue de manière cruciale au peuplement de la Nouvelle-France. L'enjeu que représente cet effectif dans l'évaluation des forces linguistiques qui s'y affrontent n'est pas négligeable. Autrefois partie intégrante de l'Aquitaine et par conséquent relié au domaine de la langue d'oc (MENIÈRE [82:195-6]; GUIRAUD [58:36]; CAMPROUX [19:83]) cette province fut annexée relativement tôt (en 1369) au domaine royal de l'Île-de-France. Il n'est donc pas étonnant que l'influence du parler françoys s'y soit fait sentir au point de refouler le domaine occitan jusqu'à l'embouchure de la Gironde. On peut considérer que cette province, en plein dix-septième siècle, appartient depuis longtemps au domaine de la langue d'oil.

La disparité linguistique qui la caractérise se reflète dans la géographie. À l'ouest, face à la mer, se trouve la Vendée, avec ses étendues semi-désertiques et parsemées de marais, peuplée par une paysannerie farouche et dont la solidarité antirépublicaine s'explique en partie par l'usage d'un dialecte d'oil qui lui est propre, le parler vendéen. À l'est de la province, dans les terres, se trouve le Haut-Poitou centré sur sa capitale, Poitiers, autrefois ville prestigieuse où s'était développé une activité culturelle et intellectuelle fort influente. À cette ancienne province correspondent aujourd'hui les trois départements de Vendée, des Deux-Sèvres et de la Vienne.

Il existe dans le témoignage de Bernadau, cet homme de loi bordelais dont on a déjà parlé, une allusion directe au caractère patoisant du Haut-Poitou. Dans sa réponse à la question 16 de la circulaire de Grégoire, Bernadau compare les variations dialectales du gascon à celles du poitevin. Voici ce qu'il écrit:

> Le Gascon varie beaucoup de village en village, mais dans ses terminaisons. Cette variation ne tranche cependant pas aussi sensiblement entre les cantons des districts de Bordeaux, de Cadillac, de la Réole et de Lesparre, qu'entre les cantons du district de Bourg ou de Bazas. On a souvent de la peine à se comprendre de paroisse à paroisse, surtout dans les départements de la Vienne et des Landes. La prononciation est, dans ces contrées, infiniment pénible et change singulièrement l'idiome.
>
> DE CERTEAU & ALII [28:188]

Allant dans le même sens, un autre témoignage à propos de la contrée qui correspond au département de la Vienne nous est fourni par le curé Pressac, procureur de la commune de St-Gaudant. Bien que laconique, sa réponse est de nature à confirmer le caractère patoisant de ce département. «Je suis né et vis, écrit-il, dans une partie du Poitou où la prononciation rustique est assez douce; cependant tout le département de la Vienne a différents patois et différents termes poidvins (*sic*), etc.» (GRÉGOIRE [57:272]).

Comme on le constate, ce n'est guère éclairant sur l'usage effectif des patois. Heureusement, les réponses brèves et précises contenues dans une lettre à Grégoire et dont l'auteur a été identifié par D. Julia comme étant l'abbé Jean-Baptiste Perreau, prieur des Jacobins du couvent de Fontenay-le-Comte (DE CERTEAU & ALII [28:24, n. 4]), donnent une meilleure idée de la situation linguistique du Bas-Poitou à cette époque. Voici sa réponse à la première question:

> Oui, l'usage de la langue française est universel dans notre contrée, mais en général on la parle mal; on n'y parle aucun patois. Le peuple des villes et les gens de la campagne parlent un français altéré, corrompu, qui ne diffère guère de village [à village], de bourg à bourg; cependant on y remarque souvent quelques nuances.
>
> GRÉGOIRE [57:273]

Il semble donc, à la lumière de cette attestation, que le parler françoys était tout de même assez répandu dans cette province au point qu'à la question 19: «Les campagnards savent-ils également s'énoncer en français?» il précise: «Oui, puisque leur langage ordinaire n'est qu'un français altéré et corrompu.». Néanmoins, il ne fait aucun doute que le patois poitevin constitue une réalité langagière du «ci-devant Bas-Poitou». Même si «à proprement parler ce n'est pas un véritable patois», il n'a pas été complètement éliminé puisque «le peuple le parle plus ou moins bien» dans les villes.

En dépit de son affinité avec le français, il demeure que le patois poitevin possède des caractères particuliers qui, sur le plan phonétique, se laissent facilement repérer. Répondant à la question qui porte sur le genre de terminaisons que les mots patois affichent le plus communément, l'abbé Perreau fait le commentaire suivant:

> Oui, les finales sont plus communément voyelles que consonnes, car la majeure partie des mots se termine en *a*, comme *ma, ta, sa* pour *moi, toi, soi*; *chapea* pour *chapeau*; ainsi du reste, etc. A Niort et aux environs, ils se terminent en *o*, et dans les contrées de Bressuire et de Thouars, ils finissent en *j*; dans celle de Poitiers et des petites villes circonvoisines, en *e*; ce qui semble prouver que, n'étant pas très éloigné des provinces méridionales, notre patois aurait quelque rapport avec le leur, qui en a avec l'espagnol et l'italien.
>
> GRÉGOIRE [57:276]

Somme toute, l'hétérogénéité dialectale de la province du Poitou est manifeste puisque les patois semblent y coexister avec un françoys plus ou moins ressemblant à celui de l'Île-de-France. L'abbé Perreau tient d'ailleurs des propos dont l'incertitude traduit bien toute sa perplexité devant le mélange dialectal qui caractérise son environnement linguistique. Témoin, cette réponse pour le moins ambiguë à la question de savoir si le patois varie de village à village: «Oui, répond-il, il varie de village à village, mais pas extrêmement, quoique d'une manière sensible.»

Je suis enclin à penser qu'à l'époque de la monarchie absolue, le patois devait être omniprésent dans tout le Bas-Poitou puisque non seulement on y prêchait jadis en patois dans certaines paroisses, comme l'indique Perreau, mais aussi que même encore de son temps, «l'enseignement se fait en français, mais mauvais français, parce qu'en général on l'estropie et qu'on y mêle toujours quelques termes de patois.» (GRÉGOIRE [57:278])

En conclusion, je dirai ceci. Le Poitou est l'exemple par excellence de la province semi-patoisante. Il ne m'apparaît pas que ce soit une exagération outrée que d'en arriver à ce résultat sur la base d'une extrapolation du témoignage des contemporains de Grégoire. Les sujets parlants d'une telle province sont en voie de francisation. Indéniablement, ils donnent les signes d'un bilinguisme de transition entre le multidialectalisme hérité des siècles passés et l'unilinguisme françoys qui commence à se répandre à la fin du dix-huitième siècle. Par conséquent, les ancêtres poitevins qui peuplèrent le Canada au cours du dix-septième siècle, peuvent être considérés comme des semi-patoisants faisant usage chez eux d'un parler local plus ou moins dialectalisé mais capables d'établir une certaine forme de communication avec le locuteur francisant en dehors de chez eux.

La France de l'usage légitime

En consultant la carte illustrant les aires géographiques couvertes l'ensemble des réponses de l'enquête Grégoire, le lecteur aura pu constater le vide désolant de toute la moitié nord de la France. Bien que depuis l'édition faite par Gazier quelques autres documents ont pu être redécouverts, nous ne sommes pas plus renseignés aujourd'hui qu'hier sur les anciennes provinces de la Normandie, de l'Orléanais, du Nivernais, du Perche, de la Touraine et, faut-il s'en étonner, de l'Île-de-France.

Une explication bien simple vient alors à l'esprit: s'il n'y a pas de témoignages, c'est parce qu'il est bien possible que les pratiques linguistiques qui régnaient dans ces provinces ne méritaient pas de commentaires particuliers qui eussent justifié l'effort de remplir le long questionnaire de Grégoire. Ce n'est qu'une supposition. Elle vaut ce qu'elle vaut dans la mesure où l'on s'accordera à dire qu'à la fin du dix-huitième siècle, le parler de l'Île-de-France s'y était solidement implanté au point d'y faire régner l'unilinguisme françoys coloré par certains particularismes régionaux de prononciation ou de vocabulaire. Même encore aujourd'hui, ceux-ci subsistent en plus grand nombre qu'on ne le croit ainsi qu'en témoignent les recherches dialectologiques de Marguerite DURAND [48], de Marie-Rose SIMONI-

AUREMBOU [4] et plus récemment, l'imposante thèse doctorale de Claire FONDET [49] relative au parler français de l'Essonne[20].

Ajoutons aussi que la plupart de ces provinces ont en commun non seulement le parler françoys privilégié par les familles royales des Plantagenêt et surtout des Valois, mais aussi ce fleuve sablonneux mais navigable, la Loire, qui remplit son rôle de voie importante de communication de Nantes à Nevers, propice à l'expansion de l'idiome de prestige.

On sait que ces provinces ont contribué à des degrés divers au peuplement de la Nouvelle-France. En excluant les immigrants venant de l'Île-de-France comme telle, mais en ajoutant ceux de la Beauce, une région beaucoup plus orientée vers Orléans, au sud, que vers Rouen, au nord, on obtient un effectif d'environ 700 individus réputés francisants, soit un gros 14% de l'immigration totale chiffrée par Lortie. Parlaient-ils françoys à l'époque de la colonisation? Il y a fort à parier que oui. Le témoignage succinct de l'abbé Rochejean, un correspondant de Grégoire qui a eu l'occasion d'exercer son ministère à Sully, petite ville en bordure de la Loire et à une quarantaine de kilomètres d'Orléans, est une confirmation en ce sens:

> Quoique Sully soit éloigné de quarante lieues de Paris, on y parle le même français qu'aux Chapelles-Bourbon, qui n'en sont éloignées que de six lieues.
>
> GRÉGOIRE [57:219]

Cette attestation se voit confirmée par une autre tout aussi laconique d'ailleurs, venant d'un nommé Mousseron-Mellève qui écrit au nom de la Société patriotique de Saint-Calais. Elle a d'autant plus de valeur que cette petite ville se situe exactement à la jonction des provinces du Maine, de l'Orléanais et de l'ancien Perche. Voici ce qu'il en dit:

---

20. .C'est le résultat des enquêtes sur le terrain faites par Fondet qui m'a permis, entre parenthèses, de résoudre une petite énigme dialectologique relative au mot *galarneau* par lequel nombre de Québécois désignent un soleil de plomb, qui tape dur, comme on dit communément. Or il se trouve que le *galargnot* désigne dans le patois de l'Essonne un gros nuage gris ou noir chargé de pluie... C'est l'illustration patente d'un cas d'inversion sémantique, phénomène bien connu des dialectologues. Il est tout de même curieux que ce vocable ne soit attesté nulle part sauf dans BERGERON [10].

Cette contrée est située à l'intérieur du royaume; la langue françoise est la seule qu'on y parle; il n'y a pas de patois; on ne se rappelle nullement qu'il en ait existé. La corruption dans le langage se fait remarquer tant à la campagne que dans nos villes et bourgs. Ce vice est sûrement général chez tous les gens qui ont été privés d'instruction. Souvent la prononciation est fautive, ce que j'attribue à la même cause; l'on dit ils *aimant* au lieu d'ils *aiment*. (...) Ce premier article peut s'appliquer à tout le canton qui ne s'éloigne que d'environ quinze lieux de la ville de St-Calais.

DE CERTEAU & ALII [*28*:244]

Nul doute que nous disposons là de quoi nous forger une conviction raisonnable du degré de pénétration du parler françoys dans ces régions au dix-septième siècle. C'est un peu maigre comme preuve mais suffisant pour authentifier une situation linguistique communément acceptée. Je n'insisterai pas davantage dans l'argumentation d'une cause qui semble entendue d'avance. Les immigrants originaires de ces provinces viennent donc prêter main-forte à l'effectif des quelque 621 individus provenant de l'Île-de-France. Ensemble, ils forment une cohorte de francisants appelés à concevoir le fait français en Amérique du Nord.

Les positions que s'est acquis le français du temps de Grégoire ne sont pas limitées qu'aux seules provinces qui se succèdent vers l'aval de la Loire. Elles englobent aussi tout le Berry, cet ancien duché du clan des capétiens, et même le Nivernais, sa province limitrophe annexée par Louis XIV en 1663 justement[21].

L'effectif en provenance de ces deux provinces est très modeste quant à l'immigration française au Canada pour l'ensemble du dix-septième siècle: 56 personnes en tout aux dires de Lortie. Contentons-nous en tout état de cause, du témoignage fort clair d'un autre curé, l'abbé Vincent Poupard, qui exerce son ministère dans la petite ville de Sancerre. Voici le début de sa lettre écrite le 9 septembre 1790 en réponse à la circulaire de Grégoire:

---

21. Il y a bien un patois berrichon qui se parle même encore à l'heure actuelle dans les départements du Cher, de l'Indre et de la Nièvre. Grégoire y fait même allusion, on l'a vu. Mais il serait exagéré de considérer le locuteur natif du Berry comme faisant usage d'un parler incompréhensible pour le sujet parlant françoys. La parenté du berrichon et du françoys est postulée dans TISSIER [*103*].

> Je serais bien flatté, Monsieur, s'il régnait quelque patois
> dans ma paroisse, de vous en développer le caractère et les
> nuances, et je le pourrais. Mais, en général, il n'y a point de
> patois dans la province de Berry, dont j'ai eu lieu de
> parcourir les différents cantons. La Marche, le Limosin,
> l'Auvergne qui nous avoisinent, ont des patois différents.
> Les cantons du Berry, qui tous parlent français, ne diffèrent
> entre eux que par la brièveté ou l'allongement de la pronon-
> ciation, par l'élévation ou l'abaissement des finales. Les
> paysans ne font que des fautes de grammaire comme ceux
> des environs de Paris.
>   Quant au Sancerrois, les gens de la campagne parlent
> encore le langage de Rabelais, d'Amyot et de Montaigne
> (...)
>
> GRÉGOIRE [57:269]

Un cas tout à fait semblable à celui du Berry semble être
l'ancienne province de la Champagne dans laquelle j'incorpore
toute cette région située au sud-est du bassin parisien et qui
s'appelle la Brie française. L'ensemble correspond, grosso
modo, aux actuels départements de la Marne et des Ardennes
d'une part, et des départements de la Seine-et-Marne, du Val-
de-Marne, de l'Aube et de la Haute-Marne d'autre part.

Unie précocement au domaine royal (en 1285), cette vaste
province peut être considérée comme entièrement francisée au
dix-septième siècle bien que toute la partie la plus au nord,
comprenant les Ardennes françaises et jouxtant la Wallonie aux
limites du petit duché de Bouillon, soit quant à elle indiscutablement patoisante[22].

Il est un indice supplémentaire susceptible de renforcer
notre opinion quant à la francisation de la Champagne du dix-
septième siècle. C'est le haut degré d'alphabétisation qu'avait
atteint cette province à cette époque. Compte tenu des réserves
que j'ai déjà formulées et qui ont trait à relation entre francisation et alphabétisation, il a été établi qu'à la «fin du XVIIe

---

22. Compte tenu de ce que l'émigration wallonne fut insignifiante à l'égard du peuplement de la Nouvelle-France, je n'insisterai pas plus qu'il ne faut pour authentifier
le caractère patoisant de la région frontalière en général. Témoin, cet érudit
abbé Aubry, curé de Bellevaux, dont Gazier a reproduit l'excellent témoignage
dans l'ouvrage qu'il a publié, cf. GRÉGOIRE [57:232 et sv.]. À compte rendu sur
le wallon s'ajoutent ceux de Frédéric Grunwald et du frère Léon Lefebvre, dont
les attestations concordantes se trouvent dans des documents restés inédits jusqu'à
présent bien qu'ils aient été retracés par les auteurs de DE CERTEAU & ALII [28:176].

siècle, la Marne et les Ardennes sont les deuxième et troisième départements français pour l'alphabétisation.» NAHOUM [*84*:198]

C'est d'ailleurs à partir de faits aussi contrastés par rapport à ceux qui caractérisent d'autres régions de France que FURET et OZOUF [*51*, t. I] sont à même de soutenir leur thèse d'un démarrage de l'alphabétisation dans la France du Nord-est, la France intégrée comme ils l'appellent, bien antérieur à l'avènement de la République. Dans les régions où le développement économique et social a permis l'amorce du mouvement irrésistible d'alphabétisation des masses, l'accession à la culture écrite correspond tout autant au résultat de l'alliance entre l'Église et l'État monarchique jusqu'au dix-septième siècle qu'à celui de la séparation de l'Église et de l'État républicain durant le dix-neuvième. À cet égard, l'exemple de la Champagne est patent: «En Champagne, écrivent-ils, l'alphabétisation rurale des hommes ne progresse que lentement dans la première moitié du dix-septième siècle (57 à 63%), pour accélérer un peu son rythme sur le deuxième versant (63 à 76%), alors que celle des femmes (25%; 38%; 48%) croît plus rapidement et plus régulièrement.» Ils ajoutent plus loin: «Ces exemples suggèrent que, dans la France relativement alphabétisée de l'Ancien Régime, où près d'un homme sur deux sait signer dès la fin du XVIIe siècle, le XVIIIe siècle voit se poursuivre le mouvement masculin, avec des tendances au ralentissement; alors qu'il est par excellence le temps du démarrage des femmes.» FURET & OZOUF [*51*:47].

Une conclusion analogue est retenue par Marie-Louise NETTER [*85*] en ce qui concerne les régions briardes (Brie française, Brie champenoise, Brie pouilleuse et Gâtinais).

Elle a établi en effet qu'à la fin du dix-septième siècle, 63,5% des hommes de plus de trente ans et 42,5% des femmes de moins de vingt-cinq ans habitant en région urbaine peuvent être considérés comme alphabétisés tandis que dans les campagnes à la même époque (entre 1680 et 1700) le même constat s'adresse à 55% des hommes de plus de trente ans et à 12,5% des femmes de moins de vingt-cinq ans (NETTER [*85*:238]).

Sur la base de ces renseignements, une extrapolation raisonnable de la situation linguistique qui pouvait prévaloir en Brie et en Champagne à l'époque de la colonisation du Canada nous permettra de conclure que les immigrants originaires de ces contrées avaient toute chance d'être des sujets parlants faisant usage courant du parler françoys. Confondus avec ceux du Berry et du Nivernais, ils forment un contingent de 221 individus, soit 2,6% de l'immigration totale chiffrée par Lortie. Modeste, leur contribution aux forces francisantes qui vont s'implanter au Canada n'en demeure pas moins déterminante dans le déroulement du processus d'assimilation linguistique des forces concurrentes.

En poussant notre reconnaissance de la situation linguistique jusqu'à la Brie française, nous nous sommes profondément avancés dans la province de l'Île-de-France au point de subir l'attraction et l'influence de Paris, capitale du royaume. Celle-ci compte vers 1700 quelque 530 000 habitants pour atteindre 650 000 habitants au début de la Révolution (DUPÂQUIER [46:91]), époque où Grégoire fait son enquête. Celle-ci reste muette quant à la situation linguistique qui y prévaut. Malgré cette lacune, je prendrai pour acquis que le parler françoys constitue l'idiome de communication de la très grande majorité des gens qui non seulement y habitent mais qui aussi y séjournent: artisans régionaux, maraîchers des environs, producteurs de tout acabit venant des villages situés en périphérie pour écouler leurs produits aux halles ou place Maubert. Cette inférence linguistique qui porte sur l'idiome des habitants du bassin parisien repose tout de même sur le témoignage de deux correspondants de Grégoire.

C'est encore l'abbé M.-J. Rochejean qui fournit une brève attestation qui a trait à une région correspondant à l'actuel département de Seine-et-Marne. Ayant résidé quelque temps à Beaumarchais, «domaine et hameau situé sur la paroisse des Chapelles-Bourbon dans la ci-devant Brie française», cet ecclésiastique oratorien a pu y remarquer ce qui suit:

> Le langage, comme les mœurs de ce canton, se ressent de la proximité de la capitale; s'il manque d'urbanité, il est exempt de grossièreté. C'est un vieux français, tel qu'on le trouve dans la bouche du peuple de Paris, et que tout homme sachant le français peut entendre.
>
> GRÉGOIRE [57:218]

Ainsi, le dialecte de l'Île-de-France semble être bien implanté à la fin du dix-huitième siècle dans un large rayon autour de Paris, et en particulier au sud-est. La même situation semble également prévaloir dans la région nord-est de la capitale. C'ets un certain abbé Asselin, sur lequel d'ailleurs on

ne connaît pas grand-chose[23], qui donne le poul de la francisation d'une contrée que l'on nomme volontiers le Soissonnais.
Dans une lettre non datée, voici son bref commentaire :

> L'usage de la langue françoise est universel dans ma contrée,
> ce qui comprend en entier les districts de Soissons et
> Château-Thierry. On n'y connaît aucun patois.

Asselin n'est guère prolixe en détails mais, ajoute-t-il : « à l'égard
de l'enseignement, il se fait en françois dans toutes les écoles de
campagnes (...) ».

En conclusion, je vais considérer que cette région est à
l'image de toutes celles qui gravitent autour de Paris en faisant
jouer le principe de la proximité pour justifier une telle généralisation[24]. C'est ce qui m'amène à considérer l'ancienne province
du Perche qui se trouve située à l'ouest de Paris, comme partie
intégrante d'une Île-de-France élargie. Même au milieu du dix-

---

23. Dans DE CERTEAU & ALII [28], on ne trouve aucun renseignement sur cet ecclésiastique. Par ailleurs, la lettre d'Asselin, apparemment inédite, fait partie d'un
document conservé au département des Manuscrits de la Bibliothèque Nationale
sous la cote NAF 2798, folio 41, r°-v°.

24. Il y a lieu cependant de tempérer cette généralisation en gardant à l'esprit la
différence notable qui existe entre les divers parlers françoys de l'époque, dont
celui de Paris, et ce qu'on appelle le dialecte de l'Île-de-France.
   Jusqu'à présent, il a toujours été implicite que le dialecte de l'Île-de-France
est un équivalent de la langue légitime du dix-septième siècle.
   Or si l'on considère les pratiques linguistiques de cette époque, cette langue
légitime n'a jamais été l'apanage naturel d'une communauté quelconque de locuteurs
natifs qui plus est, géographiquement identifiables. Ce ne sont ni les sujets parlants
françoys de Tours, ni ceux de Chartes ou de Paris qui pouvaient revendiquer l'usage
de la langue légitime. Celle-ci commande, par définition, une pratique langagière
tributaire de la tradition écrite. et cette dernière a permis d'élaborer un système
amalgamé de traits spécifiques empruntés à tous les dialectes d'oïl (champenois,
normand, picard, wallon). Ainsi, les parlers d'Île-de-France furent des patois
françoys dont les différences n'étaient probablement pas assez suffisantes pour
perturber notablement l'intercompréhension entre ces patoisants et les locuteurs
(instruits) qui faisaient usage de la langue légitime.
   Une telle vision des choses s'appuie sur la conclusion de l'impressionnate thèse
doctorale de CL. FONDET [49]. Son étude dialectologique approfondie d'une région
du bassin parisien l'amène à assimiler le soit-disant pur dialecte de l'Île-de-France
à une sorte d'artéfact linguistique désignant « l'ensemble du proto-français, sans
limite de caractère géographique » et tenant lieu de français officiel qui est, quant à
lui, « un système formé à partir de mots d'emprunt greffés sur une souche de langue
d'oïl » FONDET [49:676].
   Il s'ensuit que « le français s'est créé et maintenu en opposition constante avec
le parler des faubourgs parisiens qui se manifestait jusque dans les demeures des
bourgeois » FONDET [49:674].

septième siècle, il est raisonnable de prétendre que l'ensemble de la population y est faite d'une majorité de locuteurs francisants.

Le Nord-est de la France

Par-delà les frontières de la vaste Champagne, on quitte la France qui parle français pour pénétrer à nouveau dans celle où les idiomes recommencent à devenir des barrières linguistiques importantes.

À l'est, la Lorraine. Au sud, la Bourgogne et la Franche-comté.

Les témoignages recueillis par l'abbé Grégoire sont assez nombreux mais il n'est pas justifié d'en faire un examen détaillé puisqu'après tout, ces trois provinces n'ont fourni au Canada, pour tout le dix-septième siècle, respectivement que 16, 64 et 6 nouveaux habitants.

De la Lorraine, on peut conclure à la lumière des différents rapports qui émanent des correspondants de l'abbé Grégoire qu'il s'agit d'une province entièrement patoisante. C'est une hypothèse qui découle d'une extrapolation raisonnable du témoignage contenu dans la réponse en provenance de la commune de Commercy. Attribuée par les auteurs de DE CERTEAU & ALII [28] au Comité des Amis de la Constitution de cette petite ville, cette réponse anonyme est restée inédite jusqu'à présent[25]. Les extraits suivants sont tirés du manuscrit original.

La réponse à la première question fait état d'une situation générale «dans toute la Lorraine» (réponse à la question 18):

> On parle patois dans tous les villages et même dans les villes de ce pays-ci. C'est encore le langage d'une partie du peuple. Mais quand les gens de campagne parlent aux gens de villes qui sont d'une certaine classe, ils parlent françois, tant bien que mal, ce qu'ils appellent *franciller*.

Convaincu de ce que «le patois était avant le françois le langage général (...)» (réponse à la deuxième question), l'auteur fournit des précisions intéressantes sur cet idiome en réponse à la cinquième question:

---

25. Visiblement écrite par deux mains différentes, cette lettre non datée fait partie du document de la Bibliothèque nationale coté NAF 2798, ff^{os} 25-26, r° -v°.

> Oui, dans ce pays-ci, le patois conserve une certaine affinité avec l'Allemand et l'Anglois qui sont originairement la même langue à certains égards. Je remarque dans certains noms de village par exemple: Wadonville, Wouinville, Warinchanaux que l'on prononce comme *le double Iou, W,* en Anglois. Ainsi, l'on dit ouadonville, ouinville. Garder s'exprime par Wâder, et s'écrivait autrefois Warder.

Notant de «très grandes différences» parmi les patois lorrains au point qu'il n'y a pas «deux (villages) où l'on ne trouve de la différence» (réponse à question 16), le même auteur fait état des difficultés que soulèvent l'écriture en patois en réponse à la question 15:

> Il y a des sons qui ne peuvent pas s'écrire en françois. Pour les exprimer il faudroit des caractères que nous n'avons pas; mais cet inconvénient est commun à beaucoup de langues dont on ne connoit bien la prononciation que par l'usage (…).

Ce témoignage anonyme reçoit une confirmation non équivoque avec la réponse que Frédéric-Ignace de Mirbeck fait parvenir à Grégoire. Cet avocat réside à Paris au moment où il rédige sa lettre datée du 17 août 1790[26]. Voici sa réponse à la première question:

> L'usage de la langue française est général dans toutes les villes, à l'exception de quelques expressions lourdes, appelées lotharingismes, parce qu'elles s'écartent de la pureté du langage français.
>
> Dans tous les villages on parle un patois, qui varie suivant les contrées, mais qui conserve cependant, à peu près, la même physionomie c'est-à-dire que les paysans des diverses contrées peuvent très bien s'entendre entre eux, à l'exception néanmoins de ceux qui habitent la Lorraine allemande.
>
> En général, tous les paysans entendent le français et répondent en français; mais dans un français corrompu et quelque fois inintelligible pour bien des personnes … (mot incompréhensible). On peut aisément suppléer au vice de certaines expressions pour l'intelligence des autres.
>
> Entr'eux, les paysans ne parlent qu'un patois, ainsi que les gens du bas peuple dans les villes. Le patois aux environs de Nancy a une teinte qui le distingue des autres. Celui des

---

26. La lettre de Mirbeck est aussi restée inédite. Cet extrait est tiré du manuscrit figurant aux folios 37 à 39, r° - v° et 40, r°. du document de la Bibliothèque Nationale précité.

Vosges, celui du comté de Vaudemont, celui des Carisiens ont chacun des différences marquées et des accents parti-culiers; quoi qu'il en soit, tous entendent fort bien les expressions simples du langage français.

On voit bien qu'à l'époque de Grégoire, le parler français commençait tout juste à se gagner les faveurs des patoisants lorrains. Il n'est pas exagéré dans ces conditions d'assigner à la Lorraine le statut de province patoisante à l'époque de la colonisation de la Nouvelle-France.

En revanche sa voisine du sud, la riche et insolente Bourgogne, démontre qu'elle a été vulnérable à la francisation à une période plus avancée si l'on en juge par les attestations qui proviennent de ses régions nombreuses et variées. D'une manière générale, la diversité régionale reflète une situation linguistique fort diverse elle aussi. Plus on remonte vers le nord de cette province, plus on semble y parler français. Plus on descend vers le sud, plus grande semble être l'emprise des patois. Qu'on se rappelle justement que la ligne de démarcation entre le domaine dialectal de la langue d'oil et celui du franco-provençal passe quelque part au milieu de cette province[27].

De la petite ville d'Arnay-le-Duc, située sur le versant ouest de la Côte d'Or si réputée pour ses grands crus, nous provient le témoignage d'un correspondant que De Certeau, Julia et Revel ont identifié comme étant l'abbé Guy Bouillotte, un collègue de Grégoire à la députation de la Constituante. Sa première réponse est la suivante:

> On parle français, et bon français, dans toutes les villes. On y est plus puriste qu'à Paris, où l'on dit : *je voudrais bien que vous aillez* [sic] *à...*; au lieu qu'en Bourgogne on dit; *Je voudrais bien que vous allassiez.* Mais dans les campagnes, le paysan parle un patois particulier, qui varie d'un lieu à

---

27. La démarcation de ces deux grandes zones dialectales se matérialise jusque dans la répartition géographique d'une ville comme Salins-les-Bains, voisine de Lons-le-Saunier, en pays de Bresse, aux limites des provinces de Bourgogne et de France-Comté. C'est l'abbé Rochejean qui fournit encore une fois le témoignage suivant:

    (...) La ville de Salins (...) est divisée de langage et même de mœurs en deux parties très distinctes. Le patois et le français, dans la partie nord, sont beaucoup plus grossiers et moins français, et les mœurs beaucoup moins polies que dans la partie sud. La langue nationale fait tous les jours des progrès sensibles dans toute la ville; les vieillards de la bourgeoisie ne parlent plus patois; les jeunes gens de la dernière classe savent assez bien le français.

    GRÉGOIRE [57:213]

l'autre, quand il y a quelque distance. On citera que le patois de Dijon diffère de celui de Beaune qui à son tour diffère de celui de Châlon, de la Bresse et du Morvan. Mais c'est toujours le même patois, et l'on peut dire qu'il n'y a radicalement qu'un seul patois.

GRÉGOIRE [57:224]

La situation générale en Bourgogne, selon l'abbé Bouillotte, semble donc être une situation où «ce patois abonde partout» (réponse à la question 8) mais où il faut quand même concéder que «tout campagnard entend très-bien le français et qu'il y en a beaucoup qui le parlent» (réponse aux questions 16 à 19).

Un avis semblable est partagé par le curé de la paroisse de Mazille, située près de Cluny, en plein pays mâçonnais. Dans sa courte lettre datée du 28 décembre 1790, l'abbé Bernadet atteste que «l'usage de la langue française est général dans notre pays; ils entendent tous le français, et disent, au lieu de *Nous voulons, je voulons,* etc.» (GRÉGOIRE [57:227]).

Mais un son de cloche différent nous parvient de la ville D'Ambérieux qui appartient à cette contrée que l'on appelle le Bugey jurassien, dans l'actuel département de l'Ain. Ce sont les secrétaires Savarin et Montagnu qui, dans une réponse datée du 16 décembre 1790, apportent leur témoignage au nom de la Société des Amis de la Constitution de cette ville[28]. Voici leur réponse à la première question:

> L'usage de la langue françoise n'est pas universel dans le département de l'Ain; l'on y parle plusieurs espèces de patois, qui sans former des langues particulières, se rapprochent plus ou moins les uns des autres.

Notons que «ces patois en général ont une affinité plus ou moins grande avec le français» (réponse à la question 5), et qu'ils sont «usités dans tous les districts de l'Ain» (réponse à la question 18), les correspondants de Grégoire précisent que «la prononciation est douce dans les montagnes du cy-devant Bujey, fortement accentuée dans la plaine, très allongée dans la Bresse» (réponse à la question 14). Par ailleurs le français qui

---

28. Il s'agit là encore d'un manuscrit resté inédit à ce jour faisant partie du document de la Bibliothèque Nationale coté NAF 2798, ff^{os} 5 et 6, r°-v°.

«se parle dans les villes, est un françois corrompu» (réponse à la question 17) tandis que «plusieurs habitans des Campagnes, s'énoncent également en français, et les autres, lorsqu'ils veulent le faire, le font mal» (réponse à la question 19).

La perception que peuvent avoir les gens d'Ambérieux de la situation linguistique de leur département est corroborée par celle d'un répondant anonyme dans une réponse à la circulaire de Grégoire datée du 13 août (seulement). Elle concerne non seulement le pays du Mâçonnais et celui de la Bresse mais aussi la petite principauté de la Dombes qui fait partie de l'ancienne province de Bourgogne. La première question reçoit cette réponse:

> La langue française n'est principalement en usage que dans nos villes et entre personnes aisées. Les gens de la campagne l'entendent, mais ne s'en servent point entre eux. Ils parlent une espèce de patois, qui est unique dans chaque paroisse.
> GRÉGOIRE [57:220]

Faisant état de ce que le patois est d'un usage général à la campagne (réponse à la question 8), ce même correspondant nuance son commentaire en faisant remarquer que les campagnards «s'énoncent plus volontiers en français que les gens de ville ne parlent patois» (réponse à la question 19). Ses observations sur la nature même de ces patois ne sont pas sans intérêt. Elles nous permettent en effet de concrétiser la différence qui sépare le patois de ces régions du parler légitime. Voici par exemple sa réponse à la question 5:

> Il y a affinité, pour ne pas dire identité, avec le français; la différence consiste principalement dans la transposition des lettres qui composent le mot, dans la substitution d'une voyelle à une autre, comme dans les mots suivants: *Mocan,* au lieu de *Mâçon*; *tarre*, au lieu de *terre*; dans le retranchement ou addition d'une voyelle, comme il suit: le *foua,* au lieu de *feu*; le *pan*, au lieu de *pain*; le *chevene*, au lieu de *chanvre,* etc.
> GRÉGOIRE [57:221]

Je retiens en conclusion que la Bourgogne du temps de Grégoire se francise à grand pas. La résistance à la langue légitime semble se circonscrire à toute la partie sud de cette province qui coïncide avec la zone dialectale du franco-provençal. Plus au nord, vers la Champagne et l'Île-de-France, le français semble assez bien implanté, même dans les campagnes. En conséquence, j'imagine que l'emprise des patois devait être, cent ans plus tôt, de beaucoup plus prononcée. L'extrapolation la plus raisonnable que l'on puisse faire serait alors d'assigner à cette province un statut de province semi-patoisante.

Terminons l'examen du nord-est de la France par la Franche-Comté. Pays de montagnes situé à l'est de la Bourgogne, les patois semblent y régner communément même au temps de Grégoire. Les trois témoignages recueillis par Grégoire sont assez concordants. Le premier, celui de Lorain fils, couvre le district de Saint-Claude, tandis que le deuxième, celui de l'avocat Joly, concerne le «bailliage» de cette petite ville.

Pour Lorain, «l'usage de la langue française est universel dans ce district; cependant, on y parle presque autant de patois différents qu'il y a de villages» (réponse à la question 1) (GRÉGOIRE [57:200]). Il apporte une précision intéressante, en réponse à la question 17, sur l'usage du patois qui prévalait autrefois dans la capitale de la province, Besançon:

> Il y a cinquante ans que tout le monde le parlait dans cette ville, et les *gros* l'employaient comme un moyen de se familiariser avec les *petits*; aujourd'hui, on le parle peu, et la plupart des fils de bourgeois n'en savent pas un mot.
>
> GRÉGOIRE [57:203]

Joly quant à lui, atteste que «la langue française est en usage dans tout le bailliage de Saint-Claude; l'usage du patois n'est que pour la conversation.» (réponse à la question 1) (GRÉGOIRE [57:207]). Plus loin (question 18), il répond en précisant que «le patois est dominant dans les conversations des gens de la campagne du bailliage (...)» (GRÉGOIRE [57:209]). Enfin, sa réponse à la question 19 fournit une description plutôt lourde des progrès du français: «Les campagnards permanents, écrit-il, parlent peu français et très mal; ceux qui voyagent le parlent moins mal; ceux qui se sont absentés plusieurs années le parlent assez bien.» (GRÉGOIRE [57:209])

J'accorderais une attention spéciale au troisième témoignage en raison de la précision avec laquelle les réponses sont formulées. Le correspondant de Grégoire se nomme Jean-Baptiste de Cherval. Ce n'est pas n'importe qui. Dans son envoi daté du 13 août[29] 1790, il signe en tant que «professeur de mathématiques, de physique, d'histoire naturelle et principal du pensionnat de Saint-Amour en Franche-Comté».

Cet enquêteur a poussé le souci de l'exactitude de ses observations à un point tel qu'il précise en *nota bene* final de sa réponse: «Les observations contenues dans ces réponses ne sont pas l'opinion d'un seul, mais le résultat de l'avis et des instructions qui m'ont été communiqués par plusieurs habitants de la campagne et par une foule d'intéressés. Je puis donc, d'après la vérification des faits, en attester l'authenticité.» À la première question sur l'universalité du français, voici ce qu'il répond:

> La langue française est assez répandue dans les campagnes. Les habitants l'entendent, parce qu'ils se rendent constamment aux marchés des villes, pour y vendre leurs denrées; mais ils la parlent peu et répondent en patois aux questions qui leur sont faites en français.
>
> Ce patois varie d'une village à l'autre et il est impossible que cela puisse être autrement, le patois étant une corruption de la langue principale d'une contrée. Les habitants qui se sont éloignés du centre ont peu à peu changé quelques mots à cet idiome (...).

Il poursuit en réponse à la question 5:

> Il y a beaucoup de mots français qui s'y trouvent conservés dans leur entier et qui s'y employent dans la même acception; cependant la manière de les prononcer en change tellement l'expression qu'on ne pourrait sans une grande attention les distinguer des autres avec lesquels ils s'unissent parfaitement.
>
> Quoique peu éloignée de la Suisse et de la Savoye, il ne parrait pas que l'Allemand et le jargon savoyard se soient mêlés au patois. En général, la prononciation des habitants de montagne diffère beaucoup de la prononciation des habitans des plaines et surtout des plaines aussi basses que la Bresse. Ces contrées n'empruntent pas plus les expressions que les manières et les habitudes des montagnards; les uns et les autres n'ont aucune affinité ni pour le moral ni pour le phisique. Cette petite partie de la comté entremêlée

---

29. La réponse de Cherval est restée inédite jusqu'à présent. Les extraits qui suivent ont été tirés du manuscrit conservé à la Bibliothèque Nationale sous la cote déjà mentionnée, ff[os] 50 à 58, r°-v° et 59, r°.

de Bresse, depuis Coligni au sud jusqu'à Lons les auniers au nord par Saintamour jusqu'à Louban, à l'ouest, diffère aussi de la Bresse comme une province de l'autre.

La réponse suivante nous éclaire tout particulièrement en ce qui regarde les réelles difficultés de communication entre patoisants et non-patoisants. Voici ce qu'il écrit pour la question 6 :

Quoique l'on trouve dans le patois plusieurs mots français dont les uns ont la même signification, il ressemble si peu à l'idiome national qu'un étranger quelque intelligent qu'il soit n'en peut saisir aucune expression ni même le sens d'une conversation.

Enfin, Cherval est à même d'observer la pénétration du français, classiquement plus sensible dans les villes que dans les campagnes, observation qui correspond respectivement aux questions 17 et 19.

Les gens de la campagne qui se rendent dans les villes, parlent patois entre eux. Quelques marchands, cabarettiers, etc. le parlent avec eux pour faciliter leur vente ; mais on parle français plus communément dans les villes, et leurs habitans parlent rarement patois entre eux.

Il y a peu de campagnards qui parlent français et dans ce petit nombre on n'en trouve point qui le sachent assez pour n'y pas mêler quelques mots de leur patois ; en général le français n'est point répandu dans ces contrées et il serait à désirer qu'il le fût.

La côte atlantique du Nord-Ouest

La dernière étape de ce vaste tour d'horizon des pratiques linguistiques de la France du dix-septième siècle s'achève avec la côte atlantique du nord-ouest. Quatre provinces s'y échelonnent. Au sud, la plus atlantique des quatre, la Bretagne ne contribue, à l'encontre d'une idée fort répandue encore aujourd'hui, qu'à 3,50% de toute l'immigration. Elle ne peut donc prétendre jouer un rôle de premier plan ni dans le peuplement comme tel de la colonie ni même dans l'équilibre des forces linguistiques qui s'y développent. Néanmoins, on se doute que les Bretons vont contribuer à grossir les effectifs de la masse parlante non-francisante. À l'extrémité nord de la France, les deux provinces limitrophes, la Picardie et l'Artois, ne contribuent au peuplement du Canada qu'avec un contingent de 96 et 14 colons respectivement. Autant dire que ce fut négligeable.

Il est inutile par ailleurs de revenir sur la question de l'effort normand en regard du peuplement de la Nouvelle-France. Avec une contribution de presque 20% du total de l'immigration, la province de Normandie qui sépare les précédentes a joué assurément un rôle décisif dans l'équilibre des forces linguistiques du Canada de nos Ancêtres. Il importe donc de lui assigner l'un des trois statuts linguistiques avec le plus grand soin. Ce qui n'ira pas sans difficultés, comme nous allons le voir.

La Bretagne

Qu'il s'agisse d'immigrants originaires de la Bretagne bretonnante ou du pays gallo dont le dialecte est apparenté à la langue d'oil et qui se situe à l'extrémité est de cette province, leur cas ne semble pas devoir poser de problème particulier quant à l'assignation d'un statut linguistique. Nul doute qu'au dix-septième siècle, toute la Bretagne soit une province patoisante, c'est-à-dire non-francisante, bien entendu.

Les dialectes bretons, qui forment l'un des trois rameaux du celte ancien [30], règnent en toute impunité dans cette région qui sera plus tard subdivisée en trois départements, à savoir ceux du Finistère, de la Côte-Nord et du Morbihan. Le gallo quant à lui, s'étend de Nantes à Rennes. Il y a des variantes intra-dialectales assez prononcées à l'intérieur de la langue bretonne qui se délimitent d'ailleurs en fonction du territoire recouvert par les anciens évêchés, comme en témoigne ce correspondant de Grégoire habitant à Plougonoil, Pierre Riou, qui signe en tant que «laboureur». Même encore aujourd'hui, j'ai pu vérifier que le dialecte vannetais (Basse-Bretagne), ne permet pas à un locuteur natif de cette région de comprendre aisément un habitant parlant le trégorois ou le léonnais (Haute-Bretagne).

Mais à l'époque de Grégoire et, a fortiori, à celle de la colonisation de la Nouvelle-France, l'unilinguisme breton est attesté de manière fort convaincante non seulement par Riou

---

30. Selon VERGUIN [*106*:1141].

mais aussi par Joseph-Marie de Lequinio de Kerblay, un autre correspondant de Grégoire. La réponse du premier aux quarante-trois questions de la circulaire est faite d'une seule traite au point que, de l'aveu même de ce brave Riou, elles sont «ensevelies sous une même narration». Il semble moins difficile pour lui de tenir le manche d'une charrue que de s'escrimer avec la plume, à en juger par ce passage extrait de sa lettre datée du 17 octobre 1790 et relatif aux régions de Tréguier et Léon :

> L'usage de la langue française, bien loin d'être universel dans cette contrée, n'y est connu des campagnards que d'une faible partie, de ceux qui communément, par leurs relations de commerce, fréquentent les villes qui les avoisinent. Les gens aisés en forment le plus grand nombre. L'on y parle uniquement le *breton,* qui diffère beaucoup dans l'un et l'autre évêché.
>
> GRÉGOIRE [57:281]

Au diable l'élégance de la phrase et disons les choses comme elles sont ! Les précisions qu'il apporte plus loin ne sont pas dépourvues d'intérêt :

> Cette langue varie de paroisse à paroisse, et perd de son accent à mesure qu'elle approche d'un autre évêché. Celui de Léon conserve plus naturellement le sien, le campagnard s'écartant peu de sa demeure. Cette langue est bonne dans les villes, y est même devenue nécessaire à l'habitant, qui a à traiter journellement avec le campagnard pour les productions de son territoire. Le commun des hommes la conserve même dans les villes, au point qu'elle lui est devenue plus familière que le français, sa langue naturelle. Son étendue parcourt les deux évêchés. Il n'est point de coin où elle soit mise en pratique. Aussi rarement voit-on le campagnard s'énoncer en français.
>
> GRÉGOIRE [57:282]

Voilà certes un témoignage simplement exprimé mais combien réaliste et sans idées préconçues à l'égard des campagnards. On ne saurait en dire autant de celui de Lequinio, présumément auteur d'une lettre datée du 13 août 1790. Sur les patois, il a cette opinion terrible qu'ils ont «pour résultat d'entretenir les peuples des campagnes dans l'isolement, l'ignorance et la défiance des citadins.» Il tire peut-être sa conviction de ce qu'il a pu lui-même observer :

> Le patois varie peu en lui-même; mais sa prononciation change presque de paroisse en paroisse, et il est tellement changé de vingt lieues en vingt lieues, qu'il faut faire une petite étude pour entendre le breton parlé à cette distance de son pays natal.
>
> GRÉGOIRE [*57*:287]

Il me paraît inutile de pousser plus avant les investigations. Tant par la géographie que par l'ethnie et la langue, la province de Bretagne se situe en dehors du domaine français proprement dit. En gardant à l'esprit le critère de la langue légitime incarnée par le parler françoys, il n'y a aucun risque à lui assigner le statut linguistique de province entièrement patoisante à l'époque du peuplement de la Nouvelle-France. L'effectif des locuteurs bretons peut donc être versé dans la masse parlante des non-francisants.

L'Artois et la Picardie

Enjambons la Normandie pour atteindre la province de Picardie, limitrophe au nord de la petite province de l'Artois. Le dialecte picard y domine partout sauf dans l'enclave que maintient le dialecte flamand, ce dernier étant on le sait, l'un des rameaux de la branche germanique[31]. À toute fins utiles, admettons là encore que nous sommes en dehors du domaine francisant proprement dit, puisqu'en dépit de sa parenté avec les autres dialectes d'oil, le parler picard et à plus forte raison le parler flamand est incompréhensible au locuteur natif de l'Île-de-France.

Les deux témoignages recueillis par l'abbé Grégoire proviennent de confrères ecclésiastiques dont l'un, l'abbé Andriès, est professeur de poésie à Bergues et l'autre, le chanoine Hennebert, est l'auteur d'une imposante *Histoire générale de l'Artois*[32].

---

31. Selon VERGUIN [*106*:1139].

32. DE CERTEAU, JULIA et REVEL [*28*:177] font état de ce qu'un troisième correspondant nommé Virchaux a fait parvenir à Grégoire dans une lettre datée du 5 décembre 1790 de Lille, une réponse au questionnaire concernant tout le département du Nord. Ils ne l'ont malheureusement pas reproduite dans leur ouvrage. Elle reste donc inédite à ce jour.

Ce dernier témoigne de ce qu'à l'époque révolutionnaire, un début de francisation se laissait percevoir dans les grandes agglomérations urbaines telles que Lille, Arras et Amiens et d'autres moins importantes comme Saint-Omer, Pas-de-Calais et Breteuils. C'est du moins l'impression que laisse sa réponse à la première question :

> Oui [la langue française est d'un usage universel dans notre contrée], excepté dans l'Artois flamand, où la langue maternelle est usitée. On parle communément flamand dans un faubourg de Saint-Omer, nommé le Hautpont. Une partie de ces Hautponois ou Islers dépend de la paroisse de Saint-Martin, située dans la ville ; l'on y confesse et l'on y prêche dans la langue, ainsi qu'à celle de Sainte-Marguerite, qui a pour paroissiens des bourgeois flamands.
>
> GRÉGOIRE [*57*:256]

Mais Hennebert se sent comme contraint de lever le voile sur une réalité plus «populaire» qu'il semble le désirer. Dans quel idiome les gens ordinaires qu'ils côtoie s'expriment-ils ? Sa réponse est lâchée comme à contre-cœur (question 17) :

> Communément, la populace [des villes parle le patois], quelque fois au point qu'elle se rend inintelligible aux étrangers.
>
> GRÉGOIRE [*57*:257]

Il est permis de supposer que les étrangers en question peuvent aussi parler en français, n'est-ce pas ? L'emprise du patois picard, on s'en aperçoit, semble fortement installée dans cette partie de la France à cette époque puisque : «[il est usité] dans toute l'étendue de l'Artois, même du département, mais avec un ton différent.» (GRÉGOIRE [*57*:257]).

Par ailleurs le même Hennebert fournit aux questions 20 et 28 une réponse fort éclairante en ce qui concerne la situation linguistique qui prévalait anciennement, ce qui rend l'extrapolation d'autant plus facile à faire. Ce sont dans l'ordre les extraits suivants de sa lettre :

> Je présume fortement [que l'on prêchait jadis en patois] ; on m'a lu quelquefois des fragments de sermons que l'on m'assurait avoir été prêchés. J'ai connu dans ma jeunesse un curé picard, d'un village entre Amiens et Breteuils, prônant en patois de la manière la plus risible. Cet usage a cessé.
>
> GRÉGOIRE [*57*:257]

> Le patois, depuis un demi-siècle, est beaucoup commun ; le langage du peuple et du paysan s'est dégrossi, ce qui s'attribue aux divers écrits qui ont éveillé leur pesante imagination.
>
> GRÉGOIRE [57:258]

Le témoignage du chanoine est corroboré par celui de l'abbé Andriès dont la lettre a été reproduite dans DE CERTEAU & ALII [28:231 et ss]. La description de l'usage linguistique qu'il présente concerne néanmoins l'enclave flamande comprise dans l'Artois. Là encore, on sent que le français national a gagné du terrain au temps de la période révolutionnaire :

> Quoique la langue française soit pour ainsi dire universellement connue dans notre ville, son usage néanmoins n'y est pas universel : il y a même un grand nombre de citoyens qui ne le savent point parler : peu de gens cependant se dispensent de l'apprendre. La langue naturelle dans notre contrée est la flamande. Le peuple en général ne parle que deux langues, savoir la française, mais plus communément la flamande.
>
> DE CERTEAU & ALII [28:231]

L'observation empirique de la différence de situation qu'engendre la *connaissance* d'une langue en regard de son *usage* est ici particulièrement frappante. Nous verrons plus loin toute la pertinence qu'il est possible d'en tirer dans le cadre d'une théorie de la francisation de la Nouvelle-France.

En réponse à la question 19, Andriès fait alors l'estimation suivante sur le plan quantitatif : «On peut dire en général que la moitié des campagnards et peut-être davantage, ne savent pas le français du tout.» (DE CERTEAU & ALII [28:237]

Enfin, il est aisé de s'imaginer ce que devaient être les pratiques linguistiques antérieures à cette époque sur la base du témoignage suivant (question 20) :

> Si vous en exceptez Dunkerque (où l'on parle également flamand et français) les sermons français sont très rares : à la campagne même, on ne saurait prêcher autrement qu'en flamand.
>
> DE CERTEAU & ALII [28:237]

À la lumière de ces témoignages qui authentifient une situation naissante de bilinguisme dans les grands centres urbains des provinces de Picardie et de l'Artois, il ne me paraît pas exagéré d'extrapoler en faveur d'une situation antérieure entièrement dominée par l'emprise des dialectes picards et flamand. Comme pour d'autres témoignages déjà vus, il semble que les cinquante années qui ont précédé la Révolution ont marqué le point tournant de la francisation. Leur recoupement à cet égard est on ne peut plus révélateur. On peut donc situer l'enclenchement du processus de modification des pratiques linguistiques des Français au cours de la décade de 1730-1740. C'est à ce moment-là qu'ils apprennent à devenir bilingues par l'usage du dialecte maternel pour les besoins de communication vernaculaires et du dialecte légitime pour les besoins de communication requis par une société en mutation.

Ma conclusion sera donc simple: la Picardie et l'Artois sont des provinces entièrement patoisantes à l'époque de l'immigration vers le Canada. Quoique modeste, l'effectif des locuteurs originaires de ces deux provinces est à verser dans la masse des sujets parlants non-francisants.

La Normandie

Ultime étape de notre périple au travers de la France aux trente idiomes, la province de Normandie détient incontestablement la clef de l'énigme posée par la francisation de la Nouvelle-France.

Totalisant à elle seule 1/5e de toute la population immigrante du dix-septième siècle, on concevra facilement que le statut linguistique des Normands établis au Canada pèsera lourd dans l'équilibre des forces linguistiques[33]. Aussi convient-il de faire preuve de prudence dans l'extrapolation de la situation linguistique de cette province au dix-septième siècle.

-----

33. D'après N. Vaillancourt, auteur canadien d'un ouvrage intitulé *La Conquête du Canada par les Normands,* la répartition par département des 1 328 colons normands qui, selon lui, se sont établis au Canada avant 1800 se présente comme suit :

département de Seine maritime :	608 colons
" du Calvados :	262 "
" de la Manche :	258 "
" de l'Eure :	73 "
" de l'Orne :	41 "

Vue sous cet angle, l'immigration normande semble bien avoir formé une masse parlante semi-patoisante en prenant comme hypothèse que les émigrants de la Manche et du Calvados, c'est-à-dire les plus éloignés de Rouen, la capitale et le siège de l'archevêché, étaient davantage des patoisants tandis que ceux des trois autres départements étaient davantage des francisants.

Il n'existe malheureusement pas, dans les lettres à Grégoire, la moindre allusion aux pratiques linguistiques des habitants de la Normandie à l'époque où notre érudit révolutionnaire fit son enquête. La première difficulté qu'il importe de lever avant tout, c'est de savoir si le parler normand pouvait se confondre en ce temps-là avec le parler françoys de l'Île-de-France. En d'autres termes, le locuteur normand comprenait-il et se faisait-il comprendre facilement d'un locuteur françoys? Là-dessus, on peut être à peu près sûr que non si, du moins, on se base sur l'expérience tirée de la situation actuelle.

Dans cette province ayant fait preuve de tout temps d'une individualité culturelle et d'une autonomie politique notoires vis-à-vis du pouvoir central exercé par les Bourbons et les Valois, les nombreux «païs» qui la composent se démarquent tant par le type d'économie et d'exploitation du sol qu'on y prévilégie que par le patois qu'on y parle.

Le dialecte normand, même encore de nos jours[34], comprend un riche éventail de parlers différents, possédant d'ailleurs de nombreuses variantes: le patois brayon du «païs d'Bray», le patois cauchois du «païs d'Caux», les patois haguais, coutançais ou avranchin de la péninsule du Cotentin, le patois du «païs d'Auge» ou du «païs d'Ouche» sans ignorer bien sûr l'anglo-normand des îles Jersey et Guernesey que MOISY [83] considère comme le plus authentiquement normand[35].

---

34. Il ressort des résultats d'une enquête en milieu scolaire publiée dans *Parlers et traditions populaires de Normandie* [87] que l'usage persistant du patois dans une certaine partie de la population normande alimente même encore à l'heure actuelle une situation de bilinguisme. Près du quart des enfants formant un échantillon de 460 écoliers répartis sur 32 classes ont déclaré parler patois avec leurs parents et plus de 35% ont déclaré savoir parler patois. Or, parmi les causes invoquées le plus souvent quant aux préférences accordées à l'usage du patois ou du français, on relève «la conscience d'une possibilité de handicap linguistique à l'école ou dans la société dû au patois, ou (les) difficultés de compréhension ressenties par les enfants non-initiés au patois.» [87:32].

35. En ce qui a trait à l'anglo-normand ou «normand insulaire» comme préfère le dire G. LEFEBVRE [71], la question de l'intercompréhension est facilement tranchée par le témoignage de P. Brasseur qui écrit:

«Empiriquement, on peut remarquer que l'intercompréhension des locuteurs des Îles est très faible. Seul peut-être le parler jersiais de Saint-Ouen est généralement mieux compris, car il sonne comme le français du fait qu'il connaît peu de diphtongues. D'autre part, il ne semble pas exagéré de dire que les parlers des Îles ne sont pas directement accessibles aux patoisants du nord de la Manche. Nous voulons dire par là qu'il faut une période

(Suite de la note page suivante)

Ainsi, d'un point de vue strictement dialectologique, la Normandie du dix-septième siècle pouvait-elle opposer au parler étranger de l'Île-de-France une pratique dialectale diversifiée et fortement ancrée dans les mœurs. Or ces nombreuses variétés du dialecte normand ne nous permettent pas de croire, en dépit de leur structure de langue d'oïl, que les problèmes d'intercompréhension fussent négligeables à l'époque puisque selon Moisy, «le français de Paris ne se confondait nullement avec le français de Normandie» (MOISY [83:v]).

Même encore à l'heure actuelle, le *loceis* normand s'avère à ce point dépaysant par rapport au français commun qu'un ardent défenseur des langues minoritaires tel que A. Dupont nous met en garde contre la fiction de la mutuelle compréhension. L'argument de l'intercompréhension, écrit-il, est avancé par «les ignorants de la linguistique pour justifier leur subtil distinguo entre langue et patois» (DUPONT [47:47]). C'est une erreur de croire, soutient-il, qu'un «patois est un langage qui peut être tant bien que mal compris par un Français (...) Cela peut être vrai dans certaines régions proches du centre politique de l'hexagone, où le parler populaire n'est autre qu'une sorte de français archaïsant (au surplus non dépourvu d'intérêt), mais c'est faux pour le gallo, que les voyageurs français des XVIIème et XVIIIème siècles, soucieux d'indiquer la limite à partir de laquelle ils avaient cru entendre parler breton, ont apparemment confondu ... avec celui-ci (...) C'est encore moins vrai du normand, à qui il ne manque aucune des qualités d'une langue autonome.» (DUPONT [47:47]). Et il ajoute avec beaucoup de sens pratique: «Je voudrais bien voir la tête que ferait tel bretonnant ou horsin [36] quelconque, parachuté en plein Baupteis ou en pleine Hague.»

Si la vitalité et la diversité des patois tendent à nous convaincre que la Normandie pourrait être considérée comme une province entièrement patoisante à une époque où les pratiques linguistiques locales étaient encore fort bien protégées contre

---

(Suite de la note 35)

d'adaptation plus ou moins longue à un Normand continental pour comprendre une conversation entre deux Guernesiais, par exemple.» BRASSEUR [14:49]. «Il serait hasardeux d'affirmer que ces parlers présentent une réelle homogénéité. D'une façon générale, l'écart est suffisamment grand pour que l'intercompréhension soit difficile.»
BRASSEUR [14:302]

36. Un *horsin* ou aussi *horzain* est, en parler normand, un étranger au village et, de manière plus générale, un non-normand tout court.

«l'importation» des pratiques étrangères françoyses, on ne peut ignorer en revanche que cette province appartenait à ce que Furet et Ozouf ont appelé «la France instruite», «la France développée et alphabétisée» ou encore «la France intégrée».

On ne peut pas faire abstraction non plus de l'influence régionale qu'avaient les deux grands centres de la vie culturelle qu'étaient Rouen et Caen. Depuis longtemps, l'élite s'était convertie à l'usage de la langue françoyse. Par ailleurs, l'importance militaire et commerciale de ports tels que Dieppe, Le Havre, Cherbourg et Fécamp favorisait depuis toujours un continuel va-et-vient entre la capitale du royaume et ces villes à vocation maritime. Une tradition administrative d'expression françoyse s'y était solidement ancrée, favorisant du même coup la diffusion de la langue légitime. Pour tout dire, il appert que la francisation de cette province devait être rendue à un stade relativement avancé à l'époque de la colonisation du Canada.

C'est ce que semble vouloir dire le résultat d'ensemble relatif à l'alphabétisation de la Normandie tel que Furet et Ozouf en font part sur la base des données valables pour les années 1686-1690. Nul doute que dans cette province les progrès de l'alphabétisation ont puissamment contribué à diffuser le parler françoys compte tenu de l'adhésion des milieux intellectuels et ecclésiastiques à la tradition écrite françoyse.

En effet, les chiffres que l'on peut extraire des graphiques correspondant aux statistiques départementales intéressant l'ensemble de la province indiquent que le taux général d'alphabétisation — basé, je le rappelle, sur le pourcentage de signatures au mariage — est voisin de 30% à cette époque. La répartition entre hommes et femmes donne des taux qui sont respectivement de 43% et 17%[37]. De tels résultats, comparés à l'ensemble de la France

---

37. M. JEORGER [61:107] souligne le surprenant analphabétisme féminin en Normandie au dix-septième siècle de l'ordre de 11% et 7% pour les départements de la Seine Inférieure et de l'Eure qui contraste avec «l'alphabétisation brillante» des hommes qui est respectivement de 42% et 38%. Les femmes de la campagne normande sont encore plus analphabètes; le taux d'alphabétisation des deux mêmes départements n'atteint qu'un maigre 8% et 5%. JEORGER [61:112].

En ce qui concerne les trois autres départements faisant partie de cette ancienne province à savoir L'Orne, le Calvados et la Manche, les taux d'alphabétsation correspondent respectivement à 48%, 50% et 38% chez les hommes et à 25%, 27% et 13% chez les femmes, en gardant une marge d'erreur de 1% au plus, compte tenu de l'imprécision des graphiques.

(Suite de la note à la page suivante)

durant la même époque, situent la Normandie dans le peloton de tête des régions gagnées par l'alphabétisation, ce qui nous donne présumément une idée des progrès de la francisation dans la mesure où on en fait un corollaire de celle-là.

Que conclure, à partir d'une situation somme toute bien imprécise? Je pense faire preuve de circonspection en assignant à la Normandie ancestrale un statut linguistique de province semi-patoisante. En conséquence, l'effectif des immigrants normands qui ont contribué au peuplement de la Nouvelle-France peut être considéré comme composé dans son ensemble de locuteurs ayant une certaine connaissance du parler françoys mais qui vraisemblablement sont restés attachés pendant un certain temps à l'usage du patois maternel.

Je retiens surtout que l'analphabétisme notable des femmes normandes renforce en toute logique le caractère patoisant de cet effectif tandis que la réussite de l'alphabétisation chez les hommes est un facteur de nature à renforcer, au contraire, le caractère francisant de ce même effectif. Semi-patoisant patenté, le locuteur normand qui s'est établi en Nouvelle-France va contribuer puissamment à l'instar de l'immigrant poitevin, à orienter le sens de l'assimilation linguistique des habitants de ce nouveau pays en faveur du parler françoys.

CONCLUSION: DISTRIBUTION GÉOGRAPHIQUE DES TROIS STATUTS LINGUISTIQUES

Il m'est apparu que la meilleure façon de clore efficacement cet imposant chapitre soit de dresser une carte résumant d'un seul coup d'œil la distribution géographique des pratiques linguistiques de la France du dix-septième siècle telles que je viens de les extrapoler quasiment province par province. Cela donne la carte suivante:

(Suite de la note 37)

Il ne fait donc pas de doute que l'alphabétisation masculine était en avance dans la Normandie qui a vu naître beaucoup de nos ancêtres. On peut faire l'hypothèse raisonnable que plusieurs étaient à toute fin pratique, des locuteurs francisants. Mais du moment qu'il s'agit de conférer aux femmes plutôt qu'aux hommes un rôle prépondérant dans le processus de francisation des habitants de la Nouvelle-France, il est tout aussi raisonnable de penser que la population féminine normande se caractérisait davantage par l'usage du parler local, n'ayant pas accès à une pratique soutenue de la langue légitime.

FIGURE VI

**Limites provinciales des statuts linguistiques
au XVIIe siècle**

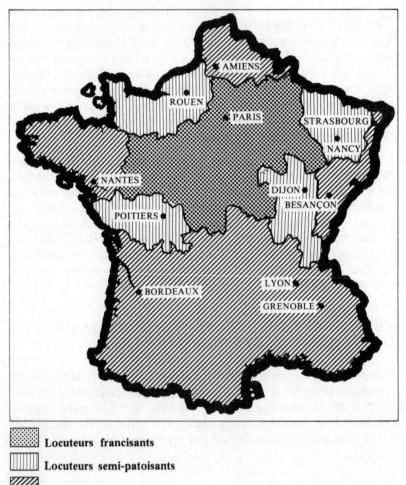

▦ **Locuteurs francisants**

▥ **Locuteurs semi-patoisants**

▧ **Locuteurs patoisants**

Les limites indiquées, je le souligne, correspondent à des limites de nature géo-politique et non de nature dialectale ou empirique. C'est une contrainte qui découle de la nécessité de devoir recourir à la province d'origine de chaque immigrant ayant contribué au peuplement de la Nouvelle-France. Telle apparaît être la situation linguistique de la France à un siècle où l'émergence du français dépendait d'un rapport de force linguistique que le Pouvoir n'avait pas encore récupéré. Un siècle et quart plus tard, il décidait d'en faire un instrument de domination des masses parlantes, idéologiquement peu mobilisées à l'égard des ambitions révolutionnaires.

CHAPITRE QUATRIÈME

L'émergence de la langue maternelle
des Canadiens

APPLICATION EXPÉRIMENTALE

Je crois qu'il serait à la fois logique et intéressant, à titre d'expérience, de confronter le concept méthodologique des statuts linguistiques aux données chiffrées dont nous avons pris connaissance jusqu'à maintenant. Question d'en évaluer l'adéquation descriptive et de se faire une idée générale de ce que ça donne, comme on dit familièrement.

Que dit alors le réaménagement des chiffres de Lortie contenus dans son désormais classique tableau (cf. p. *20*)? C'est ce que nous révèle le tableau suivant:

TABLEAU III

**Répartition des immigrants par statut linguistique
d'après les données de Lortie pour l'ensemble du 17e siècle**

Provinces d'origine	Immigrants patoisants		Semi-patoisants	Francisants
	Angoumois 93	Guyenne 124	Bourgogne 8	Anjou 139
	Artois 14	Limousin 75	Lorraine 64	Beauce 105
	Aunis 524	Languedoc 50	Normandie 958	Berry 49
	Aubergne 35	Lyonnais 33	Poitou 569	Brie 36
	Béarn 10	Marche 6		Champagne 129
	Bourbonnais 8	Périgord 45		Île-de-France 621
	Bretagne 175	Picardie 96		Maine 113
	Foix (C$_{té}$) 2	Provence 22		Nivernais 7
	Dauphiné 24	Roussillon 2		Orléanais 63
	Flandre 15	Saintonge 274		Perche 238
	Franche-C$_{té}$ 6	Savoie 12		Touraine 91
	Gascogne 51			
T	1 696		1 543	1 655
%	34,6		31,6	33,8

Voilà un résultat qui ne manque pas de surprendre… On obtient un équilibre presque parfait entre les trois statuts linguistiques en regard de la composition numérique de l'immigration. Une répartition aussi égalitaire n'était certes pas prévisible au départ. J'incline à croire que le long périple linguistique que nous venons de faire aura été utile à une chose : celle de faire dire aux statistiques de Lortie quelque chose de relativement neuf.

Certaines conclusions se dégagent nettement. Premièrement, l'immigration a maintenu tout au long du dix-septième siècle une apparente infériorité numérique des sujets parlants françoys puisque à peine un immigrant sur trois appartient à l'effectif des immigrants francisants. Deuxièmement, l'effectif des locuteurs patoisants, quoique légèrement plus nombreux que les deux autres, n'en demeure pas moins dispersé dans vingt-trois provinces différentes, soit une dispersion double de celle des francisants. Troisièmement, un immigrant sur trois correspond au type même du locuteur en voie d'assimilation au dialecte légitime puisque les locuteurs semi-patoisants ont alimenté l'immigration dans une proportion analogue.

On aura remarqué que le peuplement de la Nouvelle-France ne s'est pas soldé par une réplique exacte de la distribution des locuteurs en France à la même époque telle que l'abbé Grégoire l'avait quantitativement évaluée. Qu'on se rappelle à cet égard le rapport de force linguistique dont il a fait état dans son *Rapport* : il estimait que la population parlante comprenait un sujet parlant françoys contre un sujet semi-patoisant et trois sujets entièrement patoisants, soit un francisant sur cinq locuteurs.

L'immigration a donc favorisé le rééquilibrage des masses parlantes dans le sens d'une sur-représentation de l'élément francisant à l'intérieur d'une aire de peuplement considérablement plus réduite dans la colonie que dans la Vieille-France. C'est donc tout l'environnement linguistique qui s'en trouve bouleversé.

Telle me semble être la première appréciation qu'on peut se faire du choc des patois en Nouvelle-France. Équilibre artificiel et imprévu des trois principales forces linguistiques qui participent à l'écologie du langage dans une communauté créée de toutes pièces : le choc des patois sera inévitablement provoqué par l'environnement colonial. Le processus immuable de l'assimilation va se mettre en marche. Le phénomène «catastrophique» de la francisation se substitue à l'état de fait «évolutif» qui régissait la coexistence pacifique des idiomes dans la France monarchique.

Néanmoins, ne perdons pas de vue que même réaménagées de cette façon, les données de Lortie dissimulent de sérieuses carences descriptives. Entre autres, il y a cette espèce d'incompatibilité entre le caractère cumulatif des chiffres et le caractère synchronique du choc des patois.

En définitive, le rapport de force presque égalitaire que l'on observe à partir de ses données s'avère impuissant à nous livrer le secret de la francisation du Canada ancestral. Qu'est-ce qui a rompu ce bel équilibre? Qu'est-ce qui a déterminé le sens de la rupture?

Ne nous y trompons pas: le tableau III ne saurait nous montrer autre chose que l'assise empirique du concept méthodologique des statuts linguistiques. Cette assise me semble viable. Ce tableau ne révèle absolument rien, et j'insiste, du caractère maternel du parler françoys qui est pourtant au centre de toute théorie de la francisation.

Je crois qu'il serait à propos de poursuivre cet exercice de validation préliminaire du modèle en faisant une seconde application qui permette de comparer les données de Trudel à celles de Lortie.

Dans son ouvrage qui sert ici de référence méthodologique, TRUDEL [104] présente sa propre compilation par origine provinciale de tous les immigrants vivant en 1663 et qui font partie de son recensement de la population de la Nouvelle-France.

Lortie présente, on s'en souvient, une compilation des effectifs immigrants par période de vingt ans à partir de 1608 si bien qu'on peut tenter la comparaison en ne s'en tenant qu'aux deux premières colonnes de son tableau qui couvrent des périodes allant respectivement de 1608 à 1640 et de 1640 à 1660. L'écart chronologique n'est donc que de trois ans entre les périodes couvertes par les données de Trudel et celles de Lortie.

Voici ce que donne l'application du concept de statut linguistique aux données de Trudel[1] (tableau IV) et de Lortie (tableau V).

---

1. Voir TRUDEL [104:36].

TABLEAU IV

**Répartition des immigrants par statut linguistique
d'après les données de Trudel pour l'année 1663**

Provinces d'origine	Immigrants patoisants				Semi-patoisants		Francisants	
	Angoumois	22	Limousin	2	Bourgogne	8	Anjou	61
	Aunis	204	Lyonnais	3	Lorraine	6	Berry	4
	Auvergne	5	Picardie	22	Normandie	282	Champagne	27
	Béarn	1	Provence	2	Poitou	95	Île-de-France	40
	Bretagne	27	Saintonge	65			Maine	65
	Foix (Cté)	2					Nivernais	3
	Flandres	3					Orléanais	32
	Gascogne	4					Paris	90
	Guyenne	10					Perche	142
	Marche	1					Touraine	14
	Languedoc	4						
T	377				391		478	
%	30,3				31,4		38,4	

TABLEAU V

**Répartition des immigrants par statut linguistique
d'après les données de Lortie pour la période de 1608 à 1660**

Provinces d'origine	Immigrants patoisants			Semi-patoisants		Francisants	
	Angoumois	13	Gascogne	5	Bourgogne	7	Anjou	58
	Artois	2	Guyenne	8	Lorraine	7	Beauce	36
	Aunis	138	Languedoc	1	Normandie	359	Berry	6
	Auvergne	3	Limousin	5	Poitou	54	Brie	9
	Béarn	1	Lyonnais	4			Champagne	30
	Bourbonnais	1	Marche	1			Île-de-France	112
	Bretagne	13	Périgord	1			Maine	67
	Foix (Cté)	1	Picardie	18			Nivernais	2
	Dauphiné	4	Provence	3			Orléanais	11
	Flandres	1	Saintonge	47			Perche	211
							Touraine	21
T	270				427		563
%	21,3				34,0		44,7

Je réitère ma précédente mise en garde. Cette tentative de comparaison trouve rapidement ses limites. Elle ne saurait être soutenue qu'au prix de nombreuses acrobaties de fond et de forme.

Outre l'écart chronologique de trois années qui séparent les deux compilations, il faut aussi faire abstraction de la mortalité dont l'effet n'est sans doute pas négligeable. Je suppose néanmoins qu'elle a frappé avec une égale intensité chacune des trois populations linguistiques, eu égard à leur importance proportionnelle.

Le tableau de Lortie ne tient pas compte de la mortalité puisqu'il est cumulatif. Celui de Trudel au contraire, en raison de son caractère synchronique, se trouve nécessairement allégé de la partie de la population immigrante qui n'existe plus en 1663.

C'est ce qui explique qu'au total, la population immigrante de Trudel qui compte 1 246 individus, est inférieure à celle de Lortie qui totalise 1 260 individus en dépit de ce qu'elle compte trois années de plus. C'est bien la preuve qu'à l'époque une immigration répartie sur trois années n'arrivait même pas à combler le vide causé par la mortalité adulte qui sévissait dans la jeune colonie.

Ces précautions étant prises, on peut tout de même constater dans les deux tableaux la très nette prédominance de la population francisante. Dans le choc des patois qui a marqué les premiers temps de la colonie, c'est le parler françoys qui s'assure la position de force. Les semi-patoisants, dont les Normands plus particulièrement, sont bons deuxièmes, même au tout début de la colonisation.

Je suis alors enclin à penser que si l'on parle aujourd'hui la langue française au Canada, c'est parce que le parler françoys et non le parler normand et encore moins le parler commun du Sud-Ouest détenait une avance dans la situation de concurrence qui l'opposait aux idiomes concurrents.

La comparaison, quoique limitée, des deux tableaux est néanmoins révélatrice d'une tendance de fond: relative stabilité avec légère tendance à la baisse du groupe des semi-patoisants associée à une tendance inversement proportionnelle entre les patoisants et les francisants, favorables aux premiers à mesure que s'écoulent les années. Par contre, le temps semble contribuer à l'affaiblissement du groupe des francisants. Ainsi, l'immigration des dernières années qui précèdent le recensement de Trudel renforce la masse des locuteurs patoisants tandis que la mortalité commence à décimer la masse des locuteurs francisants établis depuis plusieurs années.

L'hypothèse d'une reconversion d'une petite partie des forces semi-patoisantes à l'unilinguisme patoisant n'est pas soutenable si l'on désire expliquer la légère tendance à la baisse qu'on enregistre. La séquence assimilatrice, que ce soit dans un sens ou dans l'autre, ne peut intervenir qu'en fonction des générations. Un immigrant poitevin ou normand restera toujours un immigrant poitevin ou normand c'est-à-dire un sujet parlant semi-patoisant. Or la population immigrante ainsi chiffrée est presque entièrement adulte. Les pertes enregistrées ne peuvent donc pas s'expliquer en termes de transfert linguistique ou d'abandon d'idiome entre 1660 et 1663.

J'en conclus donc que l'immigration entre 1660 et 1663, même globalement déficitaire par rapport à la mortalité circonscrite à la population immigrante, a grossi l'effectif des forces patoisantes affaiblissant du même coup les deux autres.

Par ailleurs, la mortalité semble avoir frappé plus durement les populations francisantes et semi-patoisantes. Quoi qu'il en soit, ces hypothèses méritent d'être examinées par les spécialistes plus versés qu'un linguiste en cette matière.

Je retiens de cet exercice de vérification préliminaire d'une théorie de la francisation que le concept méthodologique de statut linguistique présente un réel intérêt. Il permet à tout le moins de tirer de chiffres archi-connus un certain nombre de constatations pas toujours évidentes. Mais surtout il permet de concevoir, en lui donnant une articulation concrète, quelle a pu être la structure des pratiques linguistiques d'une partie de la population de la Nouvelle-France au début de son histoire. Cet exercice accrédite donc à mes yeux la formule du «choc des patois» grâce à laquelle je crois pouvoir caractériser avec objectivité l'espèce de rapport de force égalitaire qu'on vient d'observer.

Si en définitive l'équilibre apparent des forces linguistiques qui se dégage du tableau récapitulatif de Lortie — valable pour tout le dix-septième siècle — ne permet pas de conclure à une quelconque prépondérance d'un statut particulier, cet équilibre n'en recèle pas moins le *destin* de la francisation du Canada ancestral.

Mais pour conférer à la structure égalitaire des pratiques linguistiques de nos ancêtres une propriété si éminemment prédictive, il faut faire intervenir l'apport de nouvelles masses parlantes issues de la population autochtone des Canadiens de naissance. Dans le caractère maternel du parler françoys des Canadiennes de souche réside alors le véritable pouvoir de modifier l'équilibre des forces en faveur du dialecte voué au destin de langue nationale.

LA COMBINATOIRE DE L'ASSIMILATION LINGUISTIQUE

Aspects contemporains de l'assimilation

Toute la question est de savoir comment convertir une population qui n'est pas originaire de France en une masse parlante d'autochtones, sans laisser libre cours à notre imagination. En d'autres termes, comment retrouver le personnage linguistique qui se dissimule derrière le personnage historique que fut le descendant des premiers couples d'immigrants?

Le moyen d'éviter l'arbitraire et l'erreur consiste à faire la... simulation des pratiques linguistiques au moyen d'un modèle relativement plausible à défaut d'être rigoureusement scientifique, c'est-à-dire vérifiables par les faits. Le scénario de la francisation que j'imagine voit son plan directeur fortement contraint par l'apport de disciplines éprouvées telles que la sociologie du langage ou la linguistique appliquée et surtout par celui d'une discipline nouvelle, à cheval entre la précédente et la démographie: la démolinguistique.

La démolinguistique naissante — qui me paraît insuffler un nouveau courant de pensée à la sociologie du langage[2] —

---

2. J'opinerais dans le sens de Ch. CASTONGUAY [23:140] qui considère la démolinguistique comme une branche de la sociolinguistique dans la mesure où cette discipline s'attachait à définir quels sont les éléments formels de la langue qui fonctionnent en relation avec les composantes de la population. Mais elle fait l'inverse. Elle cherche à définir quelles sont les composantes de la population qui sont liées aux pratiques linguistiques.

dispose maintenant d'un certain nombre d'acquis scientifiques susceptibles d'applanir les difficultés que soulève toute entreprise de simulation. Il faut reconnaître qu'elle s'appuie sur un «corpus» singulièrement adapté à ses objectifs lorsqu'elle a recours à la masse des données statistiques extraites, entre autres, des divers recensements de la population canadienne.

Formulée selon la terminologie actuelle de la démolinguistique, la francisation peut donc être conçue comme la résultante d'un processus de «transfert linguistique au foyer» qui s'est accompli au cours de la période qui nous intéresse. Comme Marcel Trudel l'a déjà fait remarquer, le foyer typique de la Nouvelle-France comporte un clivage de fait entre la génération des parents originaires de France et la génération des enfants nés dans leur nouvelle patrie.

Dans la réalité, il y a transfert lorsque la langue maternelle des enfants n'est pas celle que les parents revendiquent comme la leur. La situation la plus courante survient alors quand la langue maternelle des enfants est la même que la langue d'usage adoptée par les parents pour des raisons qui tiennent à de nombreux facteurs ne relevant habituellement pas du domaine linguistique.

Parmi les recherches de ces dernières années qui, au Québec, ont considérablement enrichi notre connaissance des mécanismes de l'assimilation, celles de Charles Castonguay, un mathématicien de l'université d'Ottawa, sont assurément des plus remarquables. Un des tout premiers éléments qu'il convient de faire entrer en ligne de compte dans le scénario de la francisation doit être, semble-t-il, celui de l'identité profonde qu'incarne la langue maternelle aux yeux de chaque individu. Comme l'a écrit Castonguay:

> La langue maternelle est un élément fondamental de l'identité individuelle et, si la pratique linguistique de la société environnante n'entre pas en conflit avec celle du milieu familial, il y a peu de raison pour l'individu de refuser cet élément de son identité première et d'adopter une autre langue comme langue d'usage au foyer. Même dans une société où s'utilisent couramment plus d'une langue, la langue maternelle demeurera généralement la langue pratiquée le plus souvent à la maison, au moins dans la jeunesse, puisque d'ordinaire la pratique linguistique des parents dominera dans le foyer paternel.
>
> CASTONGUAY [22:341]

Il découle aussi de ces propos que l'influence parentale sur les choix linguistiques au foyer est une constante naturelle comme on peut s'en douter. Ce même chercheur a par ailleurs confirmé, au moyen d'un modèle scientifique probablement universel, le bien-fondé de l'observation empirique comme quoi «plus une minorité compte pour une proportion importante d'une population régionale donnée, moins elle s'assimile à la majorité locale» (CASTONGUAY [22:341]). [3]

Peut-on nier la pertinence de ces commentaires à l'égard du Canada ancestral? Qu'il s'agisse de la francisation des îlots anglophones du Québec ou de l'anglicisation des diverses communautés francophones «hors Québec», le scénario de l'assimilation est resté le même que celui qui s'est déroulé au début de la colonie. Bien avant même que les Anglais se rendent maîtres de l'Amérique du Nord, le peuple canadien avait déjà fait son expérience d'une langue seconde, en l'occurrence le parler de l'Île-de-France.

Pourtant, à cette époque, il ne va pas de soi que les masses parlantes dont j'ai fait l'évaluation quantitative plus haut (cf. Tableau IV, p. 129) peuvent se caractériser en termes de «majorité» ou de «minorité» locales. La différence n'est que de huit points entre le groupe «minoritaire» des patoisants et le groupe «majoritaire» des francisants. À première vue, rien n'indique dans quel sens doivent s'effectuer les transferts linguistiques qui concernent la masse parlante des semi-patoisants.

Quoi qu'il en soit, Castonguay a aussi mis en évidence l'impact d'une loi dite «d'accélération du rythme des transferts linguistiques au foyer».

---

3. À titre d'exemple, la pression qu'exerce le français sur un anglophone de la ville de Québec âgé de 25-34 ans est d'un ordre de grandeur comparable à celle que subit au Manitoba, un francophone du même âge vis-à-vis de l'anglais.

   Par contre, la pression que subit l'anglophone de Montréal est incomparablement plus supportable que celle de son homologue de Québec, puisqu'on observe dans la métropole un taux de transfert vers le français sept fois inférieur à celui de la capitale.

   Par ailleurs, CASTONGUAY [22] établit que cette francisation de l'anglophone montréalais demeure tout de même deux fois moins importante que ne l'est l'anglicisation du francophone du Nouveau-Brunswick. Ce dernier, par comparaison avec son homologue de Montréal, se voit assimilé à l'anglais avec une force trois fois et demie supérieure.

En effet, non seulement son modèle théorique de l'assimilation établit-il que le processus obéit à une courbe s'amplifiant au fur et à mesure que les locuteurs deviennent adultes, pour se stabiliser à un point de saturation tournant autour de l'âge de trente-cinq ans, mais encore prévoit-il que cette courbe va s'accentuant en intensité en fonction du temps écoulé. En d'autres termes, l'assimilation va s'accélérant de génération en génération en raison de la «polarisation linguistique croissante» des groupes majoritaires et minoritaires.

On peut alors imaginer que la francisation a affecté de plus en plus de monde et de plus en plus tôt parmi les locuteurs non-francisants de la Nouvelle-France. C'est bien ce qui semble s'être produit historiquement puisque:

> Quand la majorité ne bénéficie pas d'un taux de natalité avantageux ou d'apports migratoires importants, la force d'attraction grandissante due au poids démographique croissant de la majorité ne peut qu'accélérer sensiblement la fréquence des transferts de la minorité à la majorité.
>
> CASTONGUAY [22:350]

Que faut-il souhaiter de plus explicite et de plus pertinent à la situation historique qui a vu s'accomplir la promotion du parler françoys au statut de langue maternelle des habitants du Canada ancestral?

Je me propose donc d'investiguer le terrain balisé par les choix, les attitudes et les comportements qu'il est possible et raisonnable d'associer aux deux grandes composantes démographiques de notre population ancestrale: *descendance* et *nuptialité*.

L'assimilation par le biais de la descendance

Admettons au départ la réalité d'une certaine «loyauté linguistique», selon l'expression de Mackey, que l'immense majorité des immigrants du dix-septième siècle aurait entretenue envers leur idiome local. Cette loyauté trouve sa justification profonde dans le sentiment d'identité individuelle et collective dont la langue maternelle est la source. À l'époque, c'est donc le patois maternel qui polarise ce sentiment d'identité.

Même si ce sont les adultes et non les enfants qui semblent le plus enclins à modifier leurs pratiques linguistiques en termes de transfert (CASTONGUAY [*22*]), il demeure que l'immigrant adulte qui s'établit en Nouvelle-France n'est pas à proprement parler soumis aux pressions qui sont celles d'une société parvenue à maturité, c'est-à-dire fortement ancrées dans ses croyances et ses comportements. On peut dire qu'il n'y a pas de société en Nouvelle-France à l'époque de son peuplement. Tout au plus y a-t-il une communauté voire, une collectivité.

On peut donc entériner l'idée que ce ne sont pas les émigrés adultes mais bien leurs enfants qui, «en terre de Canada», se sont convertis à l'usage du parler françoys. Pour avoir complètement exclu la descendance de leur analyse, les spécialistes de l'uniformisation ou de la formation du parler français du Canada n'en ont pas moins irrémédiablement faussé leurs conclusions.

Mais il existe un moyen de corriger cette lacune. Il consiste à élaborer le scénario de la *transmission* de la langue maternelle, de l'idiome vernaculaire, d'une génération à l'autre en l'articulant dans le cadre conceptuel des trois statuts linguistiques. Un tel scénario permet de simuler le progrès de la francisation en prenant le foyer comme unité de base à l'intérieur de laquelle se décident les pratiques linguistiques familiales. On sait aujourd'hui que le lieu privilégié de l'assimilation linguistique — à distinguer précisément du comportement bilingue — c'est le foyer, avant l'école et le métier. Un spécialiste comme MCKEY [*77*:191] prétend qu'il existe en théorie quelque 16 000 combinaisons possibles de situations linguistiques familiales. Cela doit s'envisager, bien sûr, dans le contexte global d'un état moderne où l'école est une institution inhérente au fonctionnement de la société.

Par ailleurs, lorsqu'on considère l'assimilation sous l'angle dichotomique du foyer et de la nation, on obtient d'autres situations linguistiques découlant des choix et comportements adoptés par les locuteurs. De ce point de vue, MACKEY [*77*:116 et ss] identifie neuf situations-types possibles qu'il a d'ailleurs illustrées au moyen de graphiques. Celles qui me paraissent les plus appropriées à la description d'une situation linguistique historique comme celle de la Nouvelle-France relèvent d'une adaptation simplificatrice de ces modèles compte tenu, d'une part, de ce que langue «régionale» (en Nouvelle-France) et langue «nationale» (françoys légitime) s'assimilent l'une à l'autre à cette époque et que, d'autre part, l'institution scolaire n'a pas à être prise en considération en 1663.

Ces situations-types se résument donc à trois : soit que le parler familial d'un foyer immigrant ne soit pas différent de la langue «nationale» de la Nouvelle-France en ce qui regarde au moins «l'intelligibilité réciproque»[4]; soit que l'idiome familial apparenté à un dialecte régional soit au contraire différent de la langue «nationale»; soit encore que le bilinguisme familial à base de dialecte régional et de langue «nationale» instaure un contact variable d'intelligibilité réciproque.

L'angle externe sous lequel Mackey envisage le foyer est à vrai dire prioritairement orienté sur l'interaction de celui-ci avec le monde extérieur. Mais il est aussi nécessaire de faire entrer en ligne de compte ce que l'angle interne permet de mettre en relief, c'est-à-dire l'interaction linguistique des membres d'une même famille.

C'est ce qui a intéressé Pierre Léon entre autres, lors d'une recherche préliminaire menée sur différents groupes d'étudiants franco-ontariens et franco-québécois. Ce linguiste réputé de l'université de Toronto a mis en évidence, grâce aux résultats d'une enquête par questionnaire, la relative autonomie des comportements linguistiques liés à la «dynamique de l'emploi du langage dans le microcosme social envisagé» LÉON [72:87]. Cette dynamique se traduit d'ailleurs par un schéma de forme concentrique dont le noyau correspond à l'axe de la communi-cation inter-parentale. Celui-ci se développe selon l'axe *parents-enfants* grâce auquel s'accomplit le maximum de communi-cation unilingue. Cet axe donne lieu à son tour à un nouvel axe endogène propre à la communication entre enfants pour ensuite se développer à nouveau selon l'axe exogène de la communi-cation entre enfants et camarades. À ce niveau d'échange linguistique, on obtient un nouvel axe endogène, celui de la communication entre camarades. Ce dernier se développe finalement en un nouvel axe exogène adapté à la communi-cation avec la communauté. En résumé, cette recherche indique que le maintien de la langue dite de départ décroît à l'usage au fur et à mesure qu'on s'éloigne de l'axe central, ce qui amène Léon à constater finalement que :

---

4. Sur ce sujet, voir MACKEY [77:194].

> Il semble qu'on ait là une image typique d'une situation de monolinguisme à la génération des parents, en train de passer au bilinguisme à la génération des enfants. Ce sont les enfants entre eux, soit à la maison soit à l'école qui au contact du milieu anglophone extérieur font basculer le rapport des forces du français à l'anglais.
>
> LÉON [73:207]

Replacés dans le contexte du choc des patois en Nouvelle-France, ces propos non seulement nous confortent dans le bien-fondé d'une analyse basée sur la trivalence du statut linguistique mais aussi nous incitent à concevoir un modèle prédictif de la francisation capable de ménager le passage obligatoire, itératif et séquentiel d'un statut à l'autre de chaque génération d'enfants. En clair, cela signifie compte tenu de la coexistence pacifique des statuts linguistiques observée lors de l'épreuve préliminaire que j'ai fait subir à cette méthode, que le «pattern» d'assimilation constaté par Léon doit pouvoir s'articuler de telle sorte que des parents patoisants puissent avoir des enfants semi-patoisants et que simultanément des parents semi-patoisants puissent avoir des enfants entièrement francisés.

L'influence de la mère et de l'épouse

Si l'axe parents-enfants de la communication verbale constitue le fer de lance de l'assimilation dans la mesure où il est courant d'avoir un foyer dans lequel ceux-ci communiquent dans la langue d'usage alors que les parents communiquent entre eux dans une langue ethnique ou maternelle, l'axe mère-enfants constitue en revanche le fer de lance de la transmission du langage, ce qui peut se traduire par une certaine forme de résistance à l'assimilation. Le créneau démographique que représente cet axe ne s'est fait investir par la démolinguistique que tout récemment. Je pense, entre autres, aux travaux de deux chercheuses — est-ce une coïncidence? — M. BAILLARGEON et Cl. BENJAMIN [6] dont l'étude prospective a été conduite sous l'égide du ministère de l'Immigration du Québec. Celle-ci incorpore l'axe mère-enfants comme outil d'analyse projective de la natalité québécoise et de ses répercussions démographiques à long terme.

Abstraction faite des données qui ne concernent que les phénomènes contemporains et localisés de l'assimilation, leurs conclusions ne manquent pas d'intérêt pour comprendre la situation historique de 1663. L'anglicisation de la composante féminine de la population québécoise s'articule de telle sorte que le rôle de transmission du langage joué par la mère à l'égard de ses enfants fait justement intervenir la notion dichotomique de *langue d'usage / langue maternelle*:

> Par suite de la mobilité linguistique, un certain nombre de femmes ont une langue d'usage différente de leur langue maternelle. Dans ce cas, la probabilité est grande que leur descendance ait pour langue maternelle leur langue d'usage.
> BAILLARGEON, et BENJAMIN [6:217]

Il semble donc acquis qu'il faille lier la langue de la descendance à celle de la mère lorsque c'est le foyer qui constitue le domaine d'application de la séquence assimilatrice. Cette conclusion se voit appuyée par le résultat d'ensemble des travaux accomplis par Andrée Tabouret-Keller et Frédéric Luckel portant sur le bilinguisme en Alsace. Leur recherche a permis de mettre en évidence non seulement la filiation linguistique grâce à laquelle on peut rendre compte du rôle de transmission du langage mais aussi la plus grande propension des femmes et des filles par rapport aux hommes et aux garçons à rendre le bilinguisme plus opératoire, «plus installé comme comportement régulier» ainsi qu'ils le disent (TABOURET-KELLER et LUCKEL [*101*:47]). Leur propre enquête aboutit à des conclusions qui ébranlent quelque peu les idées reçues en matière de «loyauté» linguistique et de tradition dialectale:

> Alors qu'il est courant d'évoquer le milieu familial et son intimité comme le plus sûr abri des parlers traditionnels, nos résultats dégagent une configuration différente. L'usage du français est introduit dans la vie familiale par les femmes, les jeunes mères et celles d'âge moyen, en particulier dans leurs relations avec les enfants; il ne s'agit pas d'une introduction massive de français mais disons simplement que les femmes n'en excluent pas l'emploi. Dans les relations sociales en dehors de la famille, cependant, l'emploi de l'alsacien se maintient de manière bien plus radicale.
> TABOURET-KELLER et LUCKEL [*101*:50]

Néanmoins, la «mobilité linguistique» des femmes ne s'avère pas être une constante, loin de là. Il semble au contraire que la tendance la plus solidement ancrée dans le comportement linguistique d'une population féminine soumise aux pressions d'une langue légitime en soit une de «résistance» à l'assimilation compte tenu du fait que ce sont les hommes qui sont les plus versatiles en matière d'usage linguistique.

De telles constatations cadrent mal avec la thèse de la «dominance masculine» avancée par Colette Carisse[5] dans le cadre des travaux de la Commission royale d'enquête sur le bilinguisme et le biculturalisme menés dans les années '60. Est-il possible que ce soit l'homme et non la femme qui, dans le foyer, perpétue l'emploi de la langue maternelle lorsqu'elle entre en concurrence avec une langue d'usage différente et de surcroît, légitime? L'hypothèse d'une dominance masculine dans les accommodements linguistiques au sein du foyer est aujourd'hui renversée. Déjà, les résultats du recensement canadien de 1961 indiquaient, comme Hubert Charbonneau et Robert Maheu, démographes particulièrement versés dans les questions linguistiques, l'ont mis en relief, que la population masculine canadienne est plus encline à devenir bilingue que la population féminine.

Plus récemment, Ch. CASTONGUAY et C. VELTMAN [26:236] ont mis en évidence que les femmes appartenant à la population des couples «exogames»[6] de la région de Montréal ont plus nettement tendance à rester fidèles à leur langue maternelle que ne le font les hommes, tant chez les francophones que chez les anglophones. Le même phénomène s'observe aussi parmi les femmes de la population dite «allophone». Ce sont aussi les femmes qui, d'après eux, font de meilleurs «agents d'acculturation linguistique de leurs partenaires». Même une telle tendance se retrouve dans les couples où le mari francophone a une allophone pour épouse: celle-ci est plus efficace dans l'anglicisation de son mari que ne l'est un mari allophone envers son épouse francophone. Ces comportements matrimoniaux à l'égard de la langue mettent en lumière le phénomène de l'accommodement linguistique entre partenaires exogames exclus de la langue légitime: celle-ci est fréquemment choisie comme le compromis idéal de la communication interparentale.

---

5. Citée par CASTONGUAY et VELTMAN [26].

6. En sociologie, les couples *exogames* sont ceux dont les partenaires sont natifs de régions différentes contrairement aux couples *endogames,* formés de partenaires venant de la même région. En démolinguistique, l'exogamie caractérise la situation d'un couple dont le mari et la femme sont de langue différente; on dit aussi «couple hétérolinguistique».

Enfin, l'influence prédominante de l'épouse dans le choix linguistique familial, bien que postulée par CHARBONNEAU et MAHEU [*31*], demeure liée à des variables qui pour l'instant restent confuses. C'est ainsi que dans la synthèse qu'ils ont remis à la «Commission Gendron», j'ai pu relever que :

> ... le membre d'un «autre groupe ethnique» qui s'est francisé aura tendance à épouser une canadienne française et, d'autre part, celui qui se mariera avec une canadienne française subira l'influence de sa femme en ce qui concerne son choix linguistique.
>
> CHARBONNEAU et MAHEU [*31*:123]

Si notre connaissance actuelle des comportements linguistiques analysés à l'échelle de populations entières nous incite à croire que la femme est plus fidèle ou plus loyale que l'homme à son parler, celle que nous tirons de la psycholinguistique et de la psychologie clinique, qui sont des disciplines axées sur l'individu, nous conforte dans le choix du caractère proprement maternel de la transmission du langage. À ce propos, l'essentiel du fameux livre de Gertrud L. WYATT [*110*] est dédié au «rôle de la mère comme premier modèle verbal de l'enfant» et comme «pourvoyeuse de feed-back correctif». C'est ainsi qu'elle écrit :

> Une confirmation apparente du rôle crucial que jouent les relations entre la mère et l'enfant dans l'acquisition du langage provient des nombreuses études d'enfants élevés en orphelinats ou en maisons pour enfants abandonnés. Dans ces études, on a attribué le retard grave du développement du langage chez la majorité de ces enfants à la perte par l'enfant de sa mère naturelle, à la séparation prolongée de la mère et de l'enfant, au début de la vie, ou à l'absence d'une figure maternelle permanente.
>
> WYATT [*110*:54]

En tout état de cause, il est cohérent, je crois, de construire un modèle prédictif qui fasse porter l'essentiel de la dynamique de l'assimilation sur les épaules des femmes d'antan. Aussi le choc des patois sera-t-il éprouvé dans toute son acuité par des locutrices presque toutes anonymes quant à l'histoire mais combien maternelle quant au langage. Je vais donc concevoir la francisation comme un processus dans lequel c'est la filiation maternelle qui est opératoire car outre le fait que les mères d'antan ont transmis leur idiome, il y avait plus de chances que ce soit l'homme qui sache parler le patois de sa femme que l'inverse.

Le calcul du statut linguistique de la descendance

Muni des principaux éléments théoriques dont il faut tenir compte pour construire le scénario de la francisation, je me propose maintenant de rendre opératoire le concept de statut linguistique en utilisant une sorte de calcul capable de nous dire quelles catégories de locuteurs ont composé la descendance des immigrants français.

Le caractère systématique d'un tel calcul le rend certes plus crédible et plus puissant qu'une analyse «cas par cas» des enfants nés au Canada au cours du dix-septième siècle. À l'échelle d'une population entière, même de taille modeste, on conviendra qu'il importe de neutraliser au mieux l'intervention intempestive et arbitraire des renseignements disponibles sur le compte de certains individus mieux connus plutôt que sur celui de certains autres plus anonymes. Cette démarche de reconstitution des masses parlantes autochtones de la Nouvelle-France fait donc appel à une méthode rigoureusement aveugle, sauf cas exceptionnels, aux particularités individuelles comme la notoriété, la noblesse ou l'importance historique de plusieurs personnages, ce qui se justifie par ailleurs par le laconisme du dossier d'un grand nombre d'individus.

À partir de la cellule familiale comme entité de base ou domaine d'application du calcul, j'ai donc procédé au «croisement» du statut respectif du père et de la mère afin d'obtenir celui de la descendance.

Cela donne alors une combinatoire prédictive dont la matrice qui figure au tableau VI est la représentation formelle.

TABLEAU VI

**Calcul du statut linguistique de la descendance canadienne
d'après celui des parents**

	Mère patoisante	Mère semi-patoisante	Mère francisante
Père patoisant	P	SP	FR
Père semi-patoisant	P	SP	FR
Père francisant	SP	FR	FR

P = épouse ou fille patoisante;
SP = épouse ou fille semi-patoisante;
FR = épouse ou fille francisante.

À chaque intersection de cette matrice correspond un statut linguistique *dérivé* qui est automatiquement assigné à chacun des enfants issus d'un même couple. En somme, cette grille effectue une induction systématique pour chacun des neufs cas théoriques de foyers dans lesquels l'homme et la femme sont soit linguistiquement homogènes (endogamie) soit linguistiquement hétérogènes (exogamie).

Néanmoins, cette induction n'est ni symétrique ni aléatoire puisqu'elle est fonction des paramètres dont nous avons discuté plus haut. J'explique de quelle manière. En ce qui a trait au:
— paramètre «foyer»: l'abcisse et l'ordonnée ne peuvent convenir qu'à des *parents*;
— paramètre «langue maternelle»: la combinatoire n'est applicable ici qu'à la descendance *féminine*[7];

---

7. Le fait d'exclure la descendance masculine de cette combinatoire n'a qu'une faible incidence sur son adéquation descriptive. Du point de vue de la langue maternelle, l'importance stratégique des garçons me paraît infiniment moins évidente que celle des filles. Je n'ai que trop insisté sur ce point. Il est implicite néanmoins que la même combinatoire puisse aussi s'appliquer à la descendance masculine. Mais une telle démarche, bien que descriptivement plus «réaliste», ne se solderait que par le minime avantage d'une description plus exhaustive de la situation linguistique de la Nouvelle-France en 1663. Je suis d'opinion qu'elle ne lui confère pas une adéquation explicative plus grande.

— paramètre «transfert linguistique»: la combinatoire concède un *avantage* de 4 intersections, identifiées par le symbole FR, au statut linguistique de locutrice francisante;
— paramètre «loyauté linguistique»: la combinatoire actualise le *maintien des patois* grâce aux 2 cases marquées du symbole P assignable aux locutrices patoisantes;
— paramètre «transition linguistique»: la combinatoire actualise le *bilinguisme* ou le *bidialectalisme* de transition grâce aux 3 cases marquées du symbole SP assignable aux locutrices semi-patoisantes.

Qu'en est-il du dernier paramètre, celui de la «prédominance de la mère ou de l'épouse» dans l'échange linguistique intrafamilial? Le caractère décidable d'un tel paramètre le fait nécessairement intervenir à chaque intersection.

Dans les trois cas où la mère est une francisante, les choses peuvent se décider sans trop de problèmes en faveur d'une descendance féminine à laquelle on assigne le statut linguistique de locutrice francisante et ce, même si le père est patoisant, comme dans le cas de François Gariépy, un émigré de Gascogne, et de Marie Houdin, sa femme parisienne. Il s'agit d'un couple établi à Québec en 1663. Ainsi, la combinatoire fera primer le statut linguistique de la mère en assignant à leurs filles, Marie-Ursule et Marguerite, le statut de locutrices francisantes.

Il en est de même pour le couple Guillaume Fournier et Françoise Hébert. Lui est un semi-patoisant émigré de Normandie tandis qu'elle, bien que née à Québec, a hérité du statut de locutrice francisante de sa mère, Hélène Desportes, veuve remariée de Guillaume Hébert, le fils même de Louis Hébert, l'ancêtre le plus vénéré puisqu'il fut le premier de tous les colons à faire souche au Canada. C'est pourquoi les trois filles de Françoise Hébert, Marie, Agathe et Jacquette, iront grossir la masse parlante des locuteurs francisants.

À l'inverse, le statut de locutrice patoisante de la mère prime dans les cas de couples purs patoisants et patoisants assimilés. Par exemple, les trois filles de Jacques Vézina et de Marie Boisdon, qui sont tous deux originaires de l'Aunis, voient la combinatoire leur assigner le statut de locutrices patoisantes. Même résultat lorsque l'époux n'est qu'un semi-patoisant comme dans le cas d'Antoine Poulet, un Normand, et Suzanne Miville, une patoisante de l'Aunis. Bien qu'on puisse imaginer qu'on parlait françoys dans la famille — ce qui porterait à le croire le métier de maître charpentier en navire de Poulet — la combinatoire exige néanmoins que l'on assigne à leurs trois filles nées au Canada le statut de locutrices patoisantes. Par contre, leur sœur aînée Marie-Madeleine Poulin, née en Normandie, qui est déjà mariée en 1663, se voit attribuer le statut de semi-patoisante en raison de sa province d'origine.

Dans le cas d'un foyer où la mère est semi-patoisante mais le père patoisant, j'ai estimé qu'il y avait très peu de chances que ce soit le patois du père qui prime. Le bilinguisme de la mère aura plutôt tendance à s'imposer aux autres membres de la famille. Les filles ont donc toutes les chances d'acquérir non seulement le patois authentique de leur mère mais aussi, quoiqu'avec une maîtrise plus ou moins grande, le parler françoys dans ce qu'il a de plus vernaculaire. Il convient en effet de ne pas sous-estimer le souci d'éducation que leur mère devait sans doute entretenir même à cette époque. La descendance féminine en particulier va donc hériter du statut de locutrice semi-patoisante comme dans le cas, par exemple, de la famille de Pierre Dandonneau dit Lajeunesse, un aunisien marié à une normande, Françoise Jobin. Leurs cinq filles nées aux Trois-Rivières, se voient assigner ce statut linguistique par la combinatoire. Il en est de même pour les six filles de Léonard Leblanc, originaire de la Marche, et de Marie Riton, une émigrée du Poitou.

Un cas tout aussi délicat concerne les ménages formés d'une épouse patoisante et d'un mari francisant comme celui de Jean Gervaise, un boulanger originaire de l'Anjou, et Anne Archambault, une aunisienne. Quel statut linguistique assigner à leurs trois filles nées à Montréal? La combinatoire prédit qu'elles seront des locutrices semi-patoisantes, c'est-à-dire des bilingues plus ou moins accomplies, faisant un usage sporadique du parler françoys et du parler commun du sud-ouest. Il est vraisemblable que dans de tels foyers, le langage véhiculé par le père a dû faciliter un certain apprentissage du parler légitime tant de la part de la mère que des enfants.

Restent deux autres cas, celui du ménage formé d'une épouse semi-patoisante et d'un mari francisant et celui dans lequel les parents sont tous deux des semi-patoisants, de loin le cas le plus litigieux.

Prenons par exemple le foyer qu'ont fondé Charles Gaultier dit Boisverdun, originaire de Paris donc francisant, et sa femme Catherine Camus, une semi-patoisante du Poitou. Puisqu'elle n'a qu'une connaissance passive du françoys, il y a de fortes chances pour que la communication intrafamiliale s'établisse dans le dialecte poitevin. Or en 1663, nos émigrants étaient parents de quatre enfants, quatre filles nées à Québec. La combinatoire prédit alors qu'elles seront des francisantes à part entière, ce qui ne les a probablement pas empêchées d'être familières avec le patois de leur mère, ce parler poitevin auquel elle a dû rester attachée.

Examinons en dernier lieu ce qui a bien pu se passer dans le cas d'un foyer où les conjoints sont tous deux des semi-patoisants. La grille prédit que la descendance conservera le même statut linguistique sauf cas exceptionnels.

Cette situation familiale est typique des couples issus de mariages entre Normands ou entre Normands et Poitevins. Par exemple, à Québec, il y a la famille de Georges Pelletier dont l'épouse, Catherine Vanier, a donnée naissance en 1663 à trois enfants dont deux filles, Marie-Madeleine et Catherine, qui sont nées à Québec. Il est alors difficile de déterminer dans quelle mesure le parler françoys l'a emporté sur le parler normand. Dans les échanges intra-familiaux, je suppose que c'était ce dernier qui devait avoir la faveur, tandis qu'on devait probablement recourir à l'autre pour les besoins de la communication extra-familiale.

Quoi qu'il en soit, ce couple est à l'origine du foyer bilingue par excellence, c'est-à-dire un foyer en voie de transition vers le parler légitime de l'époque, le parler françoys. L'équilibre est donc précaire entre francisation complète et persistance du patois d'origine.

Un tel équilibre est manifestement rompu dans le cas d'une infime minorité de couples que j'ai considérés comme exceptionnels. Il y en a 16 en tout, sur un total de 470, pour lesquels j'ai volontairement modifié le verdict de la combinatoire dans un sens favorable au françoys afin de tenir compte de facteurs indépendants liés à la profession du père ou à son statut social impliquant, à l'évidence, non seulement la connaissance du parler légitime mais aussi un usage constant de cet idiome dans l'exercice du métier. Il y a donc à peine 3,4% des foyers pour lesquels j'ai effectué une sorte de «promotion» de statut linguistique pour les filles concernées.

À titre d'exemple, je citerais Louise Marsolet, née au Canada, dont les parents sont d'origine normande, c'est-à-dire théoriquement des locuteurs semi-patoisants. Mais peut-on ignorer délibérément que son père, Nicolas Marsolet dit Saint-Agnan, fut un interprète notoire de la colonie? J'ai donc considéré Louise Marsolet, sa fille, comme une francisante à part entière. Et les enfants qu'elle a mis au monde en 1663 de son mari Jean Lemire, originaire de Normandie, sont considérés comme francisants. Il y a donc eu «promotion» du statut de semi-patoisant à francisant. Un cas analogue se retrouve avec la famille du notaire Claude Auber, marié à Jacqueline Lucas. Tous deux sont des semi-patoisants de Normandie. Mais voilà une profession qui exige, même à cette époque, la connaissance du françoys et de son écriture. Il s'ensuit que leurs quatre filles nées à Québec se verront assigner le statut de locutrices francisantes.

Un autre cas exceptionnel de promotion, mais différent, peut être illustré par le foyer de Jean Cochon, un procureur fiscal de Québec d'origine normande. Celui-ci est donc censé être un semi-patoisant. Il est marié à une aunisienne, Marie-Madeleine Miville. Celle-ci s'est vue attribuer le statut de patoisante en raison de sa province d'origine. La grille prédit donc que cette union aura une descendance patoisante. Mais le métier du père justifie une «promotion» linguistique qui le transforme, *de facto,* en locuteur francisant. Cette union donnera donc exceptionnellement une descendance semi-patoisante. En définitive, il y a fort peu de ces cas marginaux. Hormis le célèbre Pierre Boucher, gouverneur en titre des Trois-Rivières, dont les deux filles sont considérées comme francisantes en dépit de ce que leur mère, Jeanne Crevier, est originaire de l'Aunis, les rares cas de promotion concernent des hommes de loi et des chirurgiens.

Pour en finir avec la présentation de ce modèle je ferai ressortir un avantage appréciable des scénarios qui en découlent. Puisqu'en effet c'est la filiation maternelle qui décide du statut linguistique de la descendance, la procédure d'assignation est valable non seulement dans les cas d'orphelinat ou de veuvage mais aussi de remariage, si fréquents durant cette époque troublée de la Nouvelle-France[8].

L'exemple de la veuve remariée Marie Dabaucourt est à cet égard très illustratif. Il fait voir comment la transmission du statut linguistique de la mère à la fille reste cohérente avec la combinatoire en dépit de ce que ses deux époux furent des locuteurs natifs fort différents.

Originaire de l'Île-de-France, Marie Dabaucourt est donc une francisante qui s'est mariée une première fois à Jean Jolliet, lui aussi francisant puisqu'il vient de la Champagne. De ce mariage sont issus quatre enfants : deux grands garçons, le fermier Adrien et Louis, dont le destin sera aussi extraordinaire que tragique, ainsi qu'une fille Marie, née à Québec et qui, à 15 ans et 3 mois, se trouve déjà mariée à un jeune chirurgien normand nommé François Fortin dit Desrosiers. Reste le petit dernier, Zacharie, âgé de 12 ans et demi. L'assignation du statut linguistique de locutrice francisante à Marie Jolliet ne pose donc aucun problème. Or en 1663, Marie Dabaucourt est remariée depuis plusieurs années avec Geoffroy Guillot dit Lavallée puisque Jean, l'aîné des trois enfants qu'elle a eus de lui, a déjà 9 ans et 7 mois. Mais Guillot n'est pas un francisant. C'est un patoisant car il est originaire de la province de l'Angoumois. Ce remariage n'affecte pas néanmoins l'assignation du statut linguistique de locutrices francisantes à Élisabeth et Louise Guillot, leurs deux filles nées à Québec et qui sont par conséquent les demi-sœurs de Marie Jolliet et de Zacharie, ce dernier faisant vraisemblablement encore partie de la famille.

Autre exemple frappant : celui de la normande Françoise Capelle qui a fait sa vie aux Trois-Rivières et qui s'est mariée trois fois de suite ; d'abord à Jean Turcot, originaire du Poitou, de qui elle a eu un fils ; ensuite à Jacques Lucas dit Lespine, un normand comme elle, qui lui a donné deux filles, Marie et Françoise ; enfin à Jacques Lemarchand, d'origine inconnue, de qui elle a en 1663, une petite fille qui s'appelle Marie-Madeleine,

---

8. Selon TRUDEL [*104* :83 et ss.], les femmes se remarient plus souvent que les hommes. Au total, 28 hommes en sont à leur deuxième mariage et un seul à son troisième tandis que 66 femmes en sont à leur deuxième mariage et 6 à leur troisième. En outre, il précise que sur les 470 foyers recensés, il y en a 56 où l'un des époux n'est pas le parent des enfants dont 39, entre autres, sont composés d'enfants issus de deux et même de trois lits différents.

agée de 2 ans et demi. Dans chaque cas, les enfants se voient assigner le statut de locuteurs semi-patoisants par la combinatoire.

Je dirais en conclusion de ce point que le modèle combinatoire, tout théorique et tout fictif qu'il soit, me semble doué d'un plus grand pouvoir explicatif que celui qui est implicite dans toutes les analyses antérieures parce qu'il incorpore la population féminine d'origine canadienne dans l'évaluation chiffrée des masses parlantes et qu'il lui fait jouer un rôle prépondérant quant à la filiation.

Néanmoins restons conscients d'une chose : le côté « aveugle » ou rigide de la matrice entraîne des risques réels de distorsion par rapport à la réalité des choix linguistiques. En effet, parce qu'il évacue complètement le problème de l'hétérogénéité dialectale de plusieurs couples exogames ou endogame de type P/P, ce modèle maximise la force de résistance des patois vis-à-vis du françoys. On pourrait s'attendre, justement, à ce que les couples dans lesquels les époux parlent chacun un patois différent aient été plus vulnérables au parler légitime qu'il n'est prévu par la matrice. La raison tient au fait qu'il est probable que le parler françoys ait joué son rôle de « langue de compromis » ou d'idiome d'accommodement. Ce phénomène de *lingua franca,* comme l'appelle Ch. Castonguay[9], s'observe fréquemment de nos jours.

Il s'ensuit que le progrès de la francisation de la Nouvelle-France fut en réalité plus rapide que ne le laisse prévoir la combinatoire puisqu'elle sous-évalue l'importance du parler françoys comme langue d'usage en particulier dans les foyers endogames quant au statut linguistique mais hétérolinguistique quant à l'usage individuel d'un patois particulier.

---

9. L'importance du choix d'une langue tierce — en l'occurrence l'anglais — dans les ménages montréalais comportant au moins un partenaire allophone a été récemment soulignée dans CASTONGUAY [26:237].

LANGUE MATERNELLE ET
FEMMES DE LA NOUVELLE-FRANCE

La population en 1663 selon Trudel

Il n'est pas du ressort du linguiste ni de sa compétence que de procéder à l'établissement des données généalogiques ou démographiques des sujets parlants auxquels il s'intéresse. Mais pour pouvoir atteindre le locuteur natif d'autrefois, il me faut bien savoir un peu sur l'habitant qu'il fut. Sans conteste, l'ouvrage de TRUDEL [104] qui s'intitule *La Population du Canada en 1663* répond admirablement à ces attentes parce qu'il contient, entre autres, le recensement nominal exhaustif de toute la population canadienne présente au mois de juin 1663 sur le territoire de la Nouvelle-France, à l'exclusion bien sûr, de l'Acadie.

Remarquablement documenté et présenté[10], le livre écrit par cet infatigable chercheur contient une foule de renseignements sur l'état de la colonie à un moment de son développement qu'il juge crucial en raison du bouleversement que va connaître la gestion de la Nouvelle-France au cours de la même année. C'est également l'avis de Kenneth McRae, qui fait aussi figure d'autorité en matière d'histoire du Canada, et pour qui l'année 1663 fut «une année décisive pour cette colonie insignifiante qui luttait encore pour survivre et qui passa alors de l'autorité de la Compagnie de la Nouvelle-France à celle de la Couronne.» (McRAE [81:223])

Il est un aspect de ce changement qu'il n'est pas inutile de mettre en exergue puisqu'il concerne l'immigration. On sait en effet que c'est le constat de l'échec du peuplement, confié jusqu'alors à la Compagnie des Cent-Associés, qui a entraîné la mainmise d'autorité de Louis XIV, assisté de Colbert, sur les affaires du Canada. Convaincus de la nécessité de donner plus d'envergure au peuplement pour entre autres donner une chance à l'évangélisation et à la «francisation» des Indigènes de réussir, le monarque et son ministre vont donc inaugurer une décennie d'efforts répétés en vue de mousser une immigration de qualité.

---

10. Pour un compte rendu critique de cet ouvrage, voir CHARBONNEAU [30].

C'est ainsi qu'à partir du 30 juin 1663 très exactement, les bateaux du roi qui s'ancrent à Québec ne cesseront jusqu'en 1673 à toutes fins pratiques, de concrétiser cette politique de développement de la colonie. Comme l'écrit Trudel, «nous avons opté pour le 30 juin 1663, non pas seulement parce que, ce jour-là, les vaisseaux qui viennent annoncer la fin du régime sont en vue, mais surtout parce que ce 30 juin 1663 marque une étape bien nette dans l'évolution de cette population: aucun des hivernants de 1662-1663 n'est encore parti pour la France et le lot des nouveaux immigrants ainsi que les anciens habitants qui reviennent (comme c'est le cas du vicaire apostolique Laval) en sont encore à remonter le fleuve.» (TRUDEL [*104*:6])

Nonobstant l'importance de la masse parlante que la future immigration va permettre de constituer, j'ai tout de même acquis la conviction, au vu de la situation linguistique qui prévalait à cette date, que l'immigration subséquente — en dépit d'un nombre de nouveaux arrivants presque trois fois supérieur au total des 42 premières années de colonisation — n'a guère eu d'incidence sur le phénomène de la francisation des habitants du Canada. Je montrerai dans les pages qui suivent que les dés de la francisation étaient en quelque sorte jettés d'avance de telle manière que l'influx de nouvelles forces dans l'équilibre linguistique de 1663 n'a pu modifier le sens ni ralentir le rythme de l'émergence du parler françoys en Nouvelle-France.

Ce bref rappel des événements étant fait, je ne peux que référer le lecteur au livre de Trudel en ce qui a trait à la façon dont cet historien s'y est pris pour faire la reconstitution du dossier personnel des 3 035 personnes qu'il a dénombrées ainsi qu'aux diverses sources de documentation dans lesquelles il a puisé.

Quelles sont les données chiffrées qui, dans l'œuvre de Trudel, peuvent aider le linguiste à caractériser l'aspect maternel de la langue? Il y a naturellement la distinction fondée sur le sexe qui permet d'isoler les immigrants et les immigrantes ainsi que les Canadiens et les Canadiennes. Le tableau VII fait la synthèse des résultats d'ensemble auxquels est parvenu cet historien.

Je précise que Trudel considère comme Canadiens tous les individus dont il a pu établir la preuve formelle qu'ils sont nés au Canada. Quant aux immigrants d'origine connue, ce sont tous ceux pour qui Trudel a formellement établi le lieu de naissance en France (ou ailleurs) ou de l'origine déclarée. Tous les autres sont classés comme immigrants d'origine inconnue.

TABLEAU VII

**Population de la colonie en 1663
d'après Trudel**

	Hommes		Femmes		Ensemble
Canadiens	614	*52,3%*	561	*47,7%*	1 175
Immigrants d'origine connue	847	*67,6%*	406	*32,4%*	1 253
Ensemble	1 461	*60,3%*	967	*39,7%*	2 428
Immigrants d'origine inconnue	447		160		607
Total colonie	1 908	*63%*	1 127	*37%*	3 035

Ainsi, le 30 juin 1663, le Canada aurait-il compté 3 035 âmes dont 1 127 individus de sexe féminin. Faut-il encore s'étonner en constatant (total colonie) jusqu'à quel point l'élément féminin de cette population est minoritaire (37%) par rapport à l'élément masculin (63%)? Quasiment le double d'hommes !

Cette situation démographique se trouve encore plus accentuée si, à l'exclusion des canadiens qui sont majoritairement des enfants et des adolescents, on fait le compte des immigrants d'origine connue et inconnue. Cela forme un effectif de 1 860 individus correspondant à une masse parlante de locuteurs adultes pour la presque totalité d'entre eux.

Les hommes comptent alors pour 70% (1 294) de cet effectif tandis que les femmes n'en comptent que pour 30% (566)[11]. Quel énorme déficit! Et pourtant c'est sur ce 30% de femmes adultes (sauf cas exceptionnels d'enfants nés en France) qu'il faut tabler pour prendre la mesure exacte du progrès de la langue maternelle françoyse.

On remarquera aussi que dès 1663 la situation accuse une légère tendance vers l'équilibre des sexes puisque l'apport des filles[12] contribue à relever de 7% la proportion des femmes par rapport aux hommes.

Cette première vision d'ensemble me paraît entièrement justifier la remise en question du modèle comptable traditionnel. De toute évidence, il n'est pas adéquat d'essayer de comprendre comment l'idiome françoys a pu se répandre dans la population de la Nouvelle-France et se hisser au rang de langue maternelle de tout un peuple en imputant à l'arithmétique d'effectifs majoritairement composés d'hommes la propriété d'expliquer la dynamique profonde du langage.

Puisque c'est de langue maternelle dont il est ici question, il est sans grand intérêt de prendre en considération celles qui, parmi ces femmes, ne sont pas destinées à transmettre leur idiome à leurs propres enfants. Je veux parler des ecclésiastiques, presque toutes des religieuses, dont le célibat est improductif du point de vue envisagé.

Celles-ci sont donc retranchées de la population féminine soumise à l'épreuve du statut linguistique. Ainsi donc, la population féminine laïque s'élève à un total de 1 085 *femmes*

---

11. Ces proportions s'entendent en raison de la féminité immigrante et non en raison de la féminité totale. Elles supposent que les immigrants et immigrantes d'origine inconnue soient nés en Europe, ce qui est le cas (TRUDEL[*104*:26]). Les quatre amérindiennes recensées par Trudel sont assimilées ici à des Canadiennes.

12. Comme le peuplement de la Nouvelle-France a commencé en 1608 — soit incidemment 4 ans plus tard que celui de l'Acadie — il va de soi que les données démographiques de Trudel ne sont pas cumulatives à cause de la mortalité chez les immigrants entre autres. Néanmoins, il est utile de savoir qu'en 1663, on compte déjà 145 enfants de la deuxième génération et 1 030 de la première (TRUDEL[*104*:149]). Il faut souligner ici que cette composante démographique ne saurait avoir d'incidence sur le calcul du statut linguistique puisque celui-ci autorise la «remontée» jusqu'aux premières origines parentales des enfants nés au Canada.

géographiquement réparties comme le montre le tableau VIII en fonction des trois régions gouvernementales de la Nouvelle-France. [13]

TABLEAU VIII

**Population féminine laïque
d'après Trudel**

	QC	TR	ML
Individus laïcs de sexe féminin	726	155	204
Total	1 085		

Ces 1 085 femmes s'arrogent un modeste 36% de toute la population laïque de la colonie. Il n'est pas inutile non plus de distinguer les *mères* des *filles* à l'intérieur de cet effectif de femmes. Sont considérées comme *mères* les immigrantes et les canadiennes qui sont mariées, qu'elles aient des enfants ou non, ou qui sont veuves, qu'elles soient remariées ou non. Leurs *filles* sont par définition des célibataires, qu'elles soient nubiles ou non.

Ces filles, on s'en doute, sont presque toutes des canadiennes à considérer comme les mères potentielles de la colonie. Elles appartiennent à deux générations d'enfants dont la première accuse un âge moyen de 7,6 ans et la seconde de 5,8 ans [14]. Le tableau IX présente la répartition géographique de ces deux types de femmes.

---

13. Dans les tableaux suivants, QC identifie la région de Québec, TR celle des Trois-Rivières et ML celle de Montréal.
14. Voir TRUDEL [*104* : 26 et ss.].

TABLEAU IX

Répartition géographique des mères et des filles

	QC	TR	ML
Mères	357	66	104
Total des mères		527	
Filles	369	89	100
Total des filles		558	

(d'après TRUDEL [*104*])

Au total, l'effectif des filles s'avère légèrement supérieur à celui des mères, preuve que la légendaire fécondité de nos ancêtres s'est très tôt manifestée. Montréal est la seule région où il y a plus de mères que de filles. Cela s'explique naturellement par le fait que c'est le plus récent des trois établissements lequel n'est d'ailleurs à l'époque qu'une modeste bourgade. La permanence des ménages n'y est pas encore assurée.

Prédominance absolue des femmes francisantes

Maintenant que nous sommes renseignés sur l'essentiel de l'aspect proprement démographique de la population féminine de la Nouvelle-France, il est temps de convertir cet effectif en masse parlante féminine. Cela pourra se faire grâce à la généralisation à laquelle permet d'accéder le statut linguistique de chaque locutrice. Le scénario procède en deux temps.

On attribue d'abord à chaque mère, sans exclure les pères pour autant, le statut linguistique qui découle de son lieu d'origine connu en se basant sur la situation linguistique de la France telle que je l'ai extrapolée pour le dix-septième siècle. On assigne ensuite le statut linguistique approprié à chaque fille née au Canada grâce à la combinatoire prédictive.

Le lecteur voudra bien se reporter à l'*Appendice* de ce volume pour obtenir le détail de la procédure que j'ai appliquée dans le traitement des données établies par Trudel ainsi que les résultats bruts de l'analyse que j'en ai faite.

Voici maintenant comment se présente la situation linguistique qui prévaut en Nouvelle-France en 1663 en regard exclusivement de la langue maternelle.

TABLEAU X

**Distribution de la population féminine
selon le statut linguistique**

	P	SP	FR	IND	Ensemble
Mères	120	90	206	111	527
Filles	95	133	303	27	558
Total	215	223	509	138	1 085
Proportions	*19,81%*	*20,55%*	*46,91%*	*12,72%*	*100%*

P   = statut de locutrices patoisantes
SP = statut de locutrices semi-patoisantes
FR = statut de locutrices francisantes
IND = indéterminées

Voilà un premier ensemble de données chiffrées ayant quelque chose à voir avec la francisation... Dès 1663 et avant même que l'immigration française n'entre dans une période faste, l'effectif des femmes francisantes était sensiblement plus important que celui des femmes patoisantes et semi-patoisantes réunies. N'eut été la cohorte des femmes pour lesquelles il a été impossible de savoir à quel statut linguistique elles appartenaient soit parce qu'on ignore leur province d'origine soit parce que les parents sont sans statut linguistique ce qui bien souvent, revient au même, les femmes faisant usage du dialecte de l'Île-de-France s'assurent dès ce moment la prédominance absolue au sein de la situation linguistique de la Nouvelle-France. Les deux tableaux suivants donnent le détail en chiffres bruts, de la répartition des mères et des filles eu égard aux trois aires de peuplement de la colonie.

TABLEAU XI

Répartition des mères par région

	QC	TR	ML
Mères francisantes	137	14	55
Mères semi-patoisantes	64	15	11
Mères patoisantes	78	21	21
Total par région	279	50	87
Total colonie	416+111 indéterminées		

TABLEAU XII

Répartition des filles par région

	QC	TR	ML
Filles francisantes	223	33	51
Filles semi-patoisantes	78	27	24
Filles patoisantes	56	22	17
Total par région	357	82	92
Total colonie	531 + 27 indéterminées		

La supériorité des filles sur les mères s'affirme dans chacun des trois établissements avec une nette augmentation des premières à Québec et ses environs. On constate que 67% des femmes d'origine connue s'y retrouvent, ce qui est normal compte tenu des axes de développement de la colonie. Le fait par ailleurs qu'il y ait un nombre considérablement moins élevé de filles au statut linguistique indéterminé explique en partie la prépondérance qu'elles semblent vouloir s'arroger sur les mères.

Beaucoup plus révélateur me semble être le rapport de force qu'entretiennent les trois statuts à l'intérieur de chaque sous-groupe de femmes.

En ignorant pour l'instant les indéterminées, on obseve que les 206 mères francisantes de la colonie s'emparent de la moitié du terrain de la langue maternelle puisqu'elles regroupent 49,5% de toutes les mères d'origine connue. Suivent les 120 mères patoisantes avec presque le tiers (28,9%) du terrain de la langue maternelle tandis que les 90 mères semi-patoisantes ne se réservent que 21,6% de cet enjeu. Comme la population des mères est quasiment toute faite d'immigrantes d'origine française, j'en conclus que ce rapport de force, tout à l'avantage du parler françoys, reflète directement la composition linguistique de l'immigration féminine des premiers temps de la colonie.

La comparaison de ces résultats avec ceux qu'on obtient avec les filles s'avère tout aussi éclairante. On y enregistre une évolution sensible du rapport de force linguistique, tant sur le plan quantitatif que qualitatif. Il est certain que la résolution du problème de l'assignation d'un statut grâce à la filiation paternelle à défaut de la filiation maternelle[15] a permis dans plusieurs cas de réduire la marge de l'ignorance. Nous obtenons une plus grande précision du scénario avec les filles nées au Canada à la première et à la seconde génération.

Avec un total de 307 filles francisantes, le parler françoys élargit sa part du terrain de la langue maternelle puisque celles-ci font grimper à 57,8% la proportion qu'elles détiennent au sein de l'effectif des filles de statut linguistique déterminé. Le parler légitime a donc fait un progrès de 8 points en l'espace d'une génération d'enfants car, à toutes fins pratiques, on peut tenir

---

15. Voir l'*Appendice* pour plus de détails sur cette procédure.

pour négligeable la part de la seconde génération de filles qui ne compte que quelques dizaines de représentantes en 1663. On peut même se figurer qu'un tel progrès s'est accompli au cours des dix années précédentes puisque la moyenne d'âge des enfants de la première génération — filles et garçons ensemble — n'est que de 7 ans et 6 mois selon Trudel[16].

Par ailleurs, il est remarquable de constater chez les filles une inversion du rapport de force linguistique entre les patoisantes et les semi-patoisantes en comparaison de la situation qui prévaut chez leurs mères. Avec un effectif de 129 filles (24,3%) de statut linguistique déterminé, les forces semi-patoisantes se rendent maîtresses du quart du terrain de la langue maternelle en Nouvelle-France tandis que les forces patoisantes affichent un net recul de 11 points par rapport à la position qu'elles détenaient chez les mères patoisantes. Minoritaires, les 95 filles patoisantes de la colonie n'occupent plus que 17,9% du terrain de la langue maternelle en 1663, ce qui laisse présager une extrême faiblesse de leur position lorsqu'elles seront en âge de se marier dans quelques années à peine.

Des résultats aussi contrastés permettent assurément de fixer le sens et le rythme du scénario de la francisation d'une génération à l'autre: nette diminution de la masse des locutrices patoisantes entraînant le recul accéléré de l'usage des patois à titre de parlers maternels; légère augmentation de la masse des jeunes locutrices semi-patoisantes, ce qui entraîne le maintien pour un certain temps des pratiques bilingues dans des proportions comparables à ce qu'elles sont chez les locutrices les plus adultes; enfin, augmentation sensible de la masse parlante françoyse avec pour conséquence l'élargissement des pratiques linguistiques unilingues chez les jeunes locutrices converties à l'usage du parler légitime.

Comme les différences proportionnelles ne se répercutent pas directement d'un statut à l'autre, on assiste donc à un phénomène de promotion linguistique «en cascade» en regard duquel le statut de transition correspond à une masse parlante semi-patoisante qui, tout en absorbant d'un côté une partie de l'effectif des locutrices patoisantes, déverse de l'autre une partie de ses propres effectifs. C'est l'illustration même du fonction-

---

16. Voir TRUDEL [*104*:26 et ss.].

nement de la séquence assimilatrice telle qu'elle s'est vraisemblablement déroulée au temps de la Nouvelle-France.

Afin de disposer d'une vision d'ensemble qui soit la plus éclairante possible de la situation linguistique de 1663, j'ai procédé à une redistribution au prorata des 111 cas indéterminés chez les mères et des 27 chez les filles. C'est cette redistribution que je présente au tableau XIII qui suit. Outre la distinction entre mères et filles faite selon le statut linguistique, cette redistribution ménage la répartition géographique des effectifs selon chaque région gouvernementale. Les tendances déjà relevées s'y retrouvent mais beaucoup plus atténuées lorsque les deux types de population féminine sont confondus.

TABLEAU XIII

**Nouvelle répartition de la population féminine
selon le statut linguistique avec redistribution
des indéterminées au prorata**

	Patoisantes		Semi-patoisantes		Francisantes	
Régions	**Filles**	**Mères**	**Filles**	**Mères**	**Filles**	**Mères**
Québec	58	99	80	81	231	174
Trois-Rivières	24	26	29	19	36	18
Montréal	19	26	26	14	55	70
Total par sous-groupe	101	151	135	114	322	262
Ensemble	252		249		584	
Proportion %	*23,23*		*22,95*		*53,82*	

FIGURE VII

**Importance respective des mères et des filles
selon le statut linguistique avec redistribution
des indéterminées au protata**

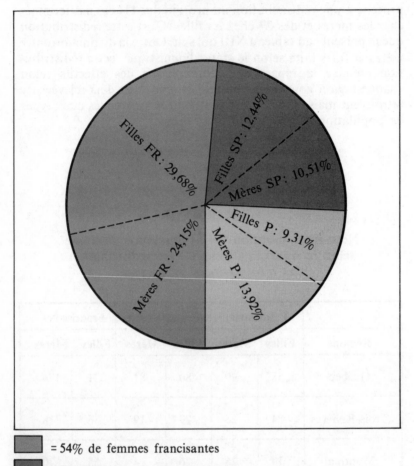

■ = 54% de femmes francisantes

■ = 23% de femmes semi-patoisantes

■ = 23% de femmes patoisantes

Ce graphique illustre clairement la part égale qu'occupent les deux masses parlantes composées des femmes patoisantes et semi-patoisantes sur le terrain de la langue maternelle ainsi que la suprématie de fait que la masse des locutrices francisantes y installe.

Telle est donc la situation linguistique de la Nouvelle-France en 1663 envisagée sous l'angle de la langue maternelle et de sa transmission d'une génération à l'autre. De tels résultats indiquent qu'il y a eu bel et bien un choc des patois aux premiers temps de la colonie. Ils confirment à mon sens qu'un tel choc est issu de la coexistence de trois forces linguistiques, incarnées par les trois masses parlantes qui composent la population féminine.

En 1663, la langue maternelle françoyse est déjà le fait de 54% de celles qui ont charge de transmettre le langage à leurs enfants. C'est sans conteste, pour le parler de l'Île-de-France, une position de force qui ne peut que conduire à son émergence précipitée hors du désordre dialectal qu'a provoqué le brassage des centaines de locuteurs et locutrices nouvellement enracinés en terre canadienne.

Comme le montre le graphique précédent dans lequel il est indiqué, pour chaque statut, la part dévolue aux mères et aux filles une fois faite la redistribution des cas indéterminés au prorata, le divorce des générations se double d'une nette tendance au divorce des parlers chez celles où l'unilinguisme françoys n'a pas encore fait son œuvre unificatrice.

Ainsi dès 1663 et avant même que ne s'inaugure la politique de peuplement voulue par Louis XIV, le parler françoys s'empare avec énormément de vigueur de la composante féminine de la population du Canada. Les femmes vont s'avérer, en dépit de leur dramatique infériorité numérique par rapport aux hommes, les véritables instigatrices du fait français en Amérique du nord.

Plus d'un siècle avant que la «revanche des berceaux» ne fournisse au peuple canadien-français le moyen de sa survivance, le choc des patois lui fournissait déjà le moyen de s'identifier à une langue maternelle. Le français du Canada allait devenir la langue de toute une descendance redevable surtout aux premières immigrantes et autochtones d'avoir opté pour la légitimité, c'est-à-dire en fin de compte, d'avoir préféré le véhiculaire au vernaculaire.

L'assimilation par le biais de l'exogamie

La nuptialité est caractérisée en Nouvelle-France par la «fusion» des origines provinciales parmi les couples (TRUDEL [*104*:82]). En outre, les mariages y maintiennent une sorte d'équilibre, de l'ordre de 33%, entre chaque cohorte de couples formés d'époux de même origine ethnique (française ou canadienne) ou d'origine ethnique différente, sauf dans le cas très marginal des mariages entre un Canadien et une Française, évalué à 0,7% selon CHARBONNEAU [30:175] pour l'ensemble du dix-septième siècle.

Ces faits traduisent une situation typique d'*exogamie,* une composante nouvellement investie en démolinguistique. Si jusqu'à présent, nous pouvons nous convaincre que c'est bien l'immigration qui a provoqué le choc des patois en Nouvelle-France, je ferai la démonstration que c'est l'exogamie qui l'a, en quelque sorte, avivé pendant un laps de temps relativement court. On prendra ainsi conscience que si le transfert linguistique doit s'interpréter comme la manifestation concrète de l'assimilation, l'exogamie quant à elle doit s'interpréter comme l'un des principaux mécanismes de fonctionnement de ce phénomène. Il me paraît donc opportun de préciser quelque peu notre connaissance de cette tendance qui affecte ce créneau démographique qu'on appelle la nuptialité[17].

Est-on en mesure de nos jours d'apprécier, d'évaluer et même de prédire l'impact d'un taux x d'éxogamie observé au sein d'une population donnée? La réponse est oui puisque cette notion reçoit un traitement particulièrement efficace dans les travaux de Charles CASTONGUAY [22]; [23]; [24]; [25] qui s'attache méthodiquement à comprendre les mécanismes sous-jacents de l'assimilation linguistique dans le contexte du bilinguisme canadien.

S'appuyant sur les données statistiques issues du dernier recensement du Canada en 1971, ce chercheur démontre qu'à l'heure actuelle «dans leur ampleur, anglicisation et exogamie vont presque parfaitement de pair.» (CASTONGUAY [25:30]).

---

17. CASTONGUAY [25:24] distingue soigneusement entre nuptialité et cohabitation matrimoniale, cette dernière composante démographique étant à la base de ses recherches. Naturellement, une telle distinction est impossible à établir en ce qui concerne la Nouvelle-France de 1663. Il serait néanmoins fort étonnant que cela puisse occasionner une distorsion sensible des faits si l'on tient compte des mœurs matrimoniales de l'époque. Celles-ci ne devaient certes pas favoriser le concubinage. En revanche, j'ai préféré parler plus loin de *descendance* plutôt que de natalité parce que les données démographiques de Trudel sur lesquelles je m'appuie ne tiennent compte que des enfants vivant en 1663. Il est évident que la descendance s'avère ici linguistiquement plus pertinente que la natalité, comme le montrent les recherches de M. BAILLARGEON et Cl. BENJAMIN [5]; [6].

L'assimilation qui découle de l'exogamie est évidemment fonction de la densité démo-géographique propre à chacune des communautés impliquées. L'une de ses conclusions, concernant les francophones «hors Québec» est plutôt impressionnante par son réalisme actuel:

> «En autant que les mariages linguistiquement mixtes peuvent servir comme indicateur du degré d'identification vécu au sein d'une minorité linguistique, voire ethnique, et en autant qu'à l'extérieur du Québec ces mariages continueront d'initier ou de confirmer la prépondérance à peu près universelle de l'anglais comme langue d'usage du conjoint francophone et, partant, comme langue maternelle de ses enfants, il faut convenir qu'avec un taux d'exogamie linguistique de 50 pour cent ou plus chez le plus jeune groupe d'âge, les jeunes francophones des sept provinces autres que le Nouveau-Brunswick et l'Ontario ne se recherchent plus assez sur le marché matrimonial, et que dès lors ces minorités sont vouées à l'assimilation complète à plus ou moins brève échéance; qu'avec un taux d'exogamie de plus du tiers chez la plus jeune génération, les Franco-Ontariens semblent aussi avoir déjà franchi le point de non-retour; et que seuls les Acadiens du Nouveau-Brunswick font preuve du minimum de reconnaissance et de cohésion culturelles qu'exige la simple survivance d'une minorité.»

Que l'exogamie joue un rôle crucial mais non pas exclusif dans le mécanisme de fonctionnement de l'assimilation linguistique, voilà une mise en garde que CASTONGUAY [23:151] ne manque pas de faire. Ceci dit, il montre dans un autre article (CASTONGUAY [24]) qu'à l'instar des taux de transferts linguistiques «les phénomènes généraux de société qui sous-tendent également l'exogamie font qu'une situation linguistique régionale particulière ne se reflète qu'en une différence d'échelle et non de structure dans l'évolution diachronique des taux d'exogamie» (CASTONGUAY [24:407]). En clair, cela pourrait signifier en ce qui a trait à la Nouvelle-France, que la rapidité de la francisation des masses patoisantes et semi-patoisantes n'a fait que refléter l'intensité des pratiques nuptiales exogames.

De tels résultats scientifiquement éprouvés confirment et précisent avec éclat la conviction intuitivement fondée de

Brunot [18] pour qui le mariage au sein des communautés constitue la pratique sociale qui «domine toute la vie linguistique des campagnes. »

C'est pourquoi j'estime en conclusion de ce point, qu'une théorie de la francisation du Canada doit pouvoir faire appel à un modèle capable d'articuler par un biais quelconque l'exogamie des couples de la Nouvelle-France en fonction de la trivalence du concept de statut linguistique.

La pénétration du françoys dans les ménages

Maintenant que nous avons déterminé tout l'enjeu que représente l'exogamie des couples eu égard à une connaissance scientifique de la francisation des habitants de la Nouvelle-France, voyons ce que révèlent les statistiques que l'on peut tirer d'une reconstitution raisonnable des faits linguistiques et des données démographiques.

Ce qui s'est passé en Nouvelle-France depuis les premières tentatives de peuplement jusqu'à 1663 a de quoi impressionner les plus réfractaires à toute argumentation chiffrée. En effet, l'exogamie favorable au parler françoys a atteint dans les mœurs canadiennes de cette période de notre histoire une amplitude extraordinaire. À la base de cette appréciation conclusive, il y a les 470 ménages dûment établis en Nouvelle-France dont Trudel a fait un décompte valable en juin 1663. À partir de cette modeste réalité du développement de la colonie, il s'agit d'apprécier en fin de compte dans quelle mesure le dialecte françoys s'est «infiltré» dans les foyers par le biais du mariage.

Sur le total que je viens de mentionner, Trudel a dénombré 302 couples d'immigrants dont l'origine est parfaitement attestée. Il devient possible de traduire cette donnée chiffrée en termes de statut linguistique de l'épouse et de l'époux. Ce créneau démographique, correctement exploité, me semble de

---

18. Se référer à BRUNOT [*15*, t. VIII: 1072] qui réitère l'importance de l'argument basé sur le mariage. Le fait social essentiel, aux yeux des linguistes, écrit-il, c'est le mariage — ou l'union libre. Ceux qui vivent ensemble accommodent plus ou moins leurs parlers. » BRUNOT [*15*, t. VIII: 1111]. Pour sa part COHEN [*34*:79] fait mention de que «dans certains cas, on a pu déterminer une relation entre une aire dialectale et les distances maximales où, encore maintenant, les gens se marient habituellement entre eux. »

nature à traduire exactement le rôle de chaque partenaire dans l'écologie générale du langage, faite d'adhésion et de résistance au parler légitime de la part de chaque locuteur natif des deux sexes.

Trudel observe en outre que les époux de 223 couples ont des origines provinciales différentes. Tout juste le quart des couples d'origine connue est composé d'époux originaires de la même province (TRUDEL [*104*:81]). C'est ce qui l'amène à conclure à un phénomène de «fusion des provinces» parallèle à un phénomène de «fusion des origines» entre immigrants et canadiens ou canadiennes de naissance. Cette double fusion, alliée à ce qu'il appelle un «début de canadianisation des ménages»[19], explique pourquoi le mariage constitue le vecteur social le plus puissant de ce «grand brassage» de la population en Nouvelle-France.

J'ai donc analysé chaque couple recensé par Trudel en raison du statut linguistique attribué ou assigné à chacun des époux. Ce modèle combinatoire se concrétise donc par une grille à neuf intersections qui doivent, en théorie, caractériser les situations d'échange linguistique au sein des ménages.

Le tableau suivant présente la synthèse des chiffres que j'ai obtenus séparément pour chaque région administrative de la Nouvelle-France compte tenu d'une répartition des cas indéterminés au prorata de chaque statut[20].

---

19. Toujours selon Trudel, il y a en 1663, quatre couples dont les deux époux sont canadiens; quatre autres dont l'épouse est immigrante mais l'époux canadien; mais 64 couples où c'est l'inverse: l'époux est immigrant tandis que l'épouse est canadienne.
20. Se reporter à l'*Appendice* pour les résultats bruts. Voir les tableaux XVIII, XIX et XX.

TABLEAU XIV

Distribution des statuts linguistiques dans les ménages avec répartition des cas indéterminés au prorata pour l'année 1663

	Épouse patoisante			Épouse semi-patoisante			Épouse francisante		
	QC	TR	ML	QC	TR	ML	QC	TR	ML
Époux patoisant	37	11	8	13	2	0	22	2	10
	56			15			34		
	QC	TR	ML	QC	TR	ML	QC	TR	ML
Époux semi-patoisant	26	5	2	27	5	10	48	3	9
	33			42			60		
	QC	TR	ML	QC	TR	ML	QC	TR	ML
Époux francisant	27	11	14	35	9	2	84	12	36
	52			46			132		

Comment se présente la situation? En voici les faits les plus saillants :

a) les neuf situations d'échange linguistique entre époux se seraient réalisées dans les faits aux premiers temps du Canada puisqu'aucune intersection ne contient de valeur nulle ;

b) l'ensemble des ménages se répartit selon les effectifs suivants: 319 couples demeurant dans la région de Québec, 60 dans celle de Trois-Rivières et 91 dans celle de Montréal;

c) les couples «purs francisants», c'est-à-dire linguistiquement endogames, au nombre de 132, forment 28% de tous les ménages de la Nouvelle-France, soit plus du quart de ceux-ci;

d) les couples «purs patoisants», c'est-à-dire linguistiquement endogames ou exogames mais non francisants, au nombre de 56, détiennent à peine 12% de toute la situation matrimoniale;

e) moins du tiers de tous les ménages de la Nouvelle-France ne font probablement pas usage du parler françoys au foyer puisque les quatre intersections figurant dans la partie blanche de la grille totalisant 146 couples caractérisés par le fait que ni l'un ni l'autre des conjoints n'est un francisant; à 1% près, il y a autant de couples dans lesquels c'est l'époux qui est l'agent francisant que de couples dans lesquels c'est l'épouse qui joue ce rôle. C'est ce qu'illustre le graphique (figure VIII);

f) la redistribution au prorata concerne 145 couples sur 470 soit 31% de l'ensemble des ménages. Ces cas indéterminés sont ceux pour lesquels le statut linguistique de l'épouse ou du mari ou encore des deux à la fois n'a pu être établi. À ce propos, les femmes contribuent à rendre la situation moins explicite que ne le font les hommes car il y a 89 épouses contre 56 maris dont on ne peut pas dire quelle sorte de locutrices elles étaient. C'est donc dire que si on exclut radicalement le rôle du mari dans le choix de la langue en usage au foyer que j'ai d'ailleurs assimilée à la langue maternelle, il devient impossible de prédire pour ces couples quel sera le sens de la transmission de la langue maternelle une fois que ces épouses seront devenues mères.

Voilà pour les résultats les plus apparents de la composante «nuptialité» de la population ancestrale du Canada. Cela mérite quelques commentaires. Commençons par le graphique.

FIGURE VIII

**Importance respective des couples
selon le statut linguistique de l'épouse et de l'époux**

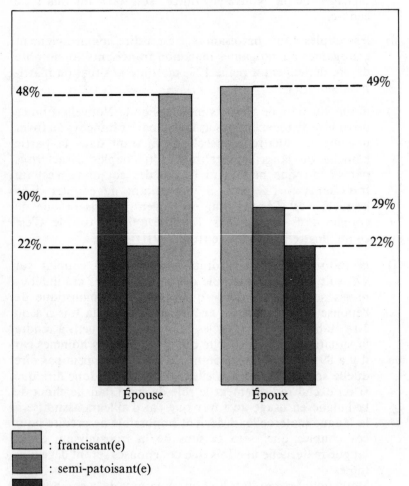

D'abord, il est surprenant de constater la symétrie du rapport qu'entretiennent les couples formés soit d'un mari francisant d'une part, soit d'une épouse francisante d'autre part. A priori, rien ne laissait supposer que les mœurs matrimoniales des colons du Canada eussent dû ménager un tel équilibre. La nuptialité qui s'étend de 1608 à 1663 nous réserve donc la surprise d'assister à la domination presque majoritaire de l'élément francisant dans l'échange linguistique qui découle d'une situation de forte exogamie. Toute aussi frappante, ensuite, apparaît l'asymétrie des statuts linguistiques parmi les couples formés soit d'un mari soit d'une épouse non francisants. Les épouses patoisantes sont sensiblement plus nombreuses que les semi-patoisantes à avoir fondé un foyer tandis que c'est l'inverse chez les hommes.

D'où peut bien provenir une telle différence? J'avancerais l'explication suivante: ou bien les proportions que l'on observe à propos des époux révèlent que les francisants furent plus sollicités que les autres par le mariage ce qui aurait privilégié leur situation sur le marché matrimonial par rapport à leur importance réelle au sein de la population masculine de la colonie; ou bien elles ne font que refléter la structure même de l'immigration masculine telle qu'elle s'est déroulée jusqu'en 1663, structure qui ferait des locuteurs francisants l'élément prépondérant du rapport de force linguistique chez les hommes. Dans le premier cas, l'orientation des choix linguistiques dépendrait du prestige lié à la langue légitime qui lui-même n'est pas indépendant de considérations socio-économiques et culturelles; dans le second, elle dépendrait de la «force des choses» en quelque sorte. Il y a tout lieu de croire que ce soit justement la force des choses à savoir l'immigration, qui rende le mieux compte de la nuptialité masculine.

J'en veux pour preuve le fait que la nuptialité féminine quant à elle, s'avère refléter la composition de l'immigration féminine en général quoiqu'on y enregistre une dynamique amplificatrice. Que l'on compare en effet les pourcentages relatifs aux mères qui apparaissent au tableau X (p. 157) avec ceux qui apparaissent à la figure VIII qui eux, sont relatifs aux épouses. On constate qu'en faisant les équivalences, le profil reste le même: prédominance des francisantes, faiblesse des semi-patoisantes mais vigueur des patoisantes.

Par contre si l'on compare les pourcentages relatifs aux femmes, mères et filles confondues, on observe que l'impact des filles mariées sur la situation matrimoniale de la Nouvelle-France a pour effet de rompre l'égalité du rapport entre femmes patoisantes et semi-patoisantes en faveur d'une vigueur accrue des épouses patoisantes s'effectuant au détriment des épouses francisantes. Là encore, le rôle transitoire que semble jouer dans la séquence en «cascade» l'effectif des locutrices semi-patoisantes se voit confirmé par la stabilité du poids linguistique qu'y détiennent autant les femmes que les épouses.

La pratique du mariage chez les filles d'immigrants[21] durant les années qui précédèrent 1663 a donc amplifié le choc des patois puisqu'elle a contribué momentanément à donner plus de poids aux forces patoisantes dans l'ensemble des ménages.

Mon second et dernier commentaire a trait à la «dispersion» des éléments — hommes et femmes — qui composent la masse des locuteurs francisants. Peut-être après tout que les femmes francisantes auraient systématiquement préféré se marier avec des hommes parlant françoys eux aussi? N'étaient-ils pas plus raffinés que les autres à leurs yeux? Et puis, ce n'est pas le choix qui manquait, n'est-ce pas... Il va donc s'agir de déterminer comment les hommes et les femmes d'un statut linguistique donné vont se rechercher en tant que partenaires ou candidats au mariage.

De telles questions au fond ne s'avèrent pas si pertinentes que ça jusqu'en 1663 du moins. En effet, la situation matrimoniale de la Nouvelle-France, comme sa situation linguistique, est largement «importée» telle quelle à ce moment puisque 65% de tous les couples sont composés de partenaires nés en France[22]. Le choc des patois, provoqué non plus par l'immigration mais par le mariage, va se produire plusieurs années après 1663 soit à l'arrivée sur le marché matrimonial de toute la première génération de filles. Celles-ci forment selon Trudel, un

---

21. Toujours selon Trudel [*104*:74], cette pratique concerne 68 couples dont l'épouse est canadienne ce qui fait 14,5% de l'ensemble de la situation matrimoniale qui prévaut en Nouvelle-France à cette époque.

22. Selon Trudel [*104*:69], il y a en 1663 quelque 72 couples dont au moins un ou les deux conjoints sont d'origine canadienne et quelque 92 couples d'origine inconnue. Le reste (306) peut donc être considéré comme reflétant directement la pratique du mariage en France même.

effectif tournant autour de 530 individus[23]. Avec à peine 68 canadiennes mariées, on est loin du compte. Si la tendance observée avec celles-ci se produit au-delà de 1663, l'amplitude du choc des patois atteindra son apogée au cours des dix années suivantes compte tenu d'une moyenne d'âge au mariage variant autour de 16 ans chez les filles[24].

Cette amplitude présumée, favorable aux forces patoisantes, se voit néanmoins confrontée à une tendance parallèle favorable celle-là aux forces francisantes.

En additionnant les effectifs qui apparaissent dans chacune des intersections figurant dans la partie sombre du tableau XIV on obtient un total de 324 couples (sur 470) pour lesquels le parler françoys est la langue maternelle soit du mari soit de sa femme soit des deux ensemble. C'est donc en réalité presque 70% des foyers de la Nouvelle-France qui font déjà partie, en 1663, du domaine d'influence de la langue légitime.

Si par ailleurs les 48% d'épouses francisantes étaient toutes mariées aux 49% de maris francisants, on obtiendrait un taux nul de dispersion du françoys dans les ménages. Ce n'est pas le cas puisque ce type d'endogamie ne se vérifie que dans le cas de 132 couples (41%) sur l'ensemble de tous ceux dans lesquels le parler légitime est le fait d'un conjoint. Pour ces 132 couples, on ne peut guère parler de pénétration du parler françoys dans le foyer.

Par contre, la mesure de cette pénétration peut être prise dans le cas des 338 autres couples. Parmi eux, les couples exogames partiellement orientés vers le françoys s'élèvent à 192. C'est dire qu'il existe un taux de dispersion du parler légitime de l'ordre de 56,8% parmi les ménages où cette dispersion peut s'accomplir. De toute évidence, il s'agit là d'une performance fabuleuse.

Dans le cas des couples où le conjoint est un non-francisant, on observe que les femmes francisantes recherchent

---

23. TRUDEL [*104*:26] précise que sur les 1 175 canadiens de naissance, incluant les enfants de première et de seconde génération, il y avait 561 filles (47,7%) et 614 garçons (52,3%).

24. CHARBONNEAU [*30*:165 et ss.] a établi que l'âge moyen des canadiennes lors du mariage était de 19,7 ans entre les années 1640 et 1679 tandis qu'il passait à 22,3 ans entre 1680 et 1699. Avant 1660, il semble avoir été de 15,4.

un mari semi-patoisant de préférence à un patoisant, puisqu'il y a presque le double de francisantes mariées à un époux semi-patoisant. Chez les maris francisants en revanche, il ne semble pas y avoir de préférence quant au choix d'une épouse patoisante ou semi-patoisante.

En tout état de cause, je crois pouvoir affirmer avec une raisonnable certitude qu'avec un taux d'exogamie de presque 70% et un taux de dispersion de presque 57%, le marché matrimonial des habitants de la Nouvelle-France sera un terrain de conquête presqu'entièrement gagné à la cause du parler françoys au cours de la décennie 1663-1673.

L'une des composantes du choc des patois réside justement dans la tendance contradictoire qui favorise les épouses patoisantes en même temps qu'elle accélère l'introduction du françoys parmi les ménages. Fort de la situation avantageuse dont il jouit dans les foyers, cellules de base de la structure sociale de la jeune colonie, l'idiome françoys va accentuer sa dispersion dans les foyers de la Nouvelle-France puisqu'on sait maintenant que les filles ont formé un effectif de locutrices francisantes encore plus considérable que leurs mères.

C'est certainement là un aspect décisif de l'émergence du parler françoys au Canada ancestral. La pratique du mariage va y favoriser l'échange linguistique entre conjoints, échange favorable au transfert linguistique en faveur de cet idiome. Le dialecte de l'Île-de-France est donc très vite appelé à jouer le rôle de langue maternelle du peuple canadien en vertu du scénario plausible de la transmission de l'idiome maternel à la descendance et plus particulièrement à la descendance féminine.

Quand on sait qu'en situation de langues en contact le processus de transfert linguistique se manifeste toujours avec une plus grande intensité que la pratique de l'exogamie quel que soit le poids démographique des majorité et minorité linguistiques (CASTONGUAY [25]), l'issue fatale qui guette les patois me paraît inévitablement inscrite dans la situation matrimoniale qui prévaut au Canada avant juin 1663. Avec quasiment 70% de couples exogames, le jeu de la loi «d'auto-emballement de l'exogamie» mise en évidence par Castonguay va insuffler un rythme encore plus élevé au mécanisme du transfert linguistique pour ainsi contribuer à la croissance accélérée de la francisation des habitants de la Nouvelle-France jusqu'à la saturation complète de la population. J'imagine que le terme de cette évolution n'est guère allé au-delà mettons, de l'année 1680.

Le rôle des Filles du Roy

On peut, en terminant, tenter d'établir une prospective qui irait au-delà de l'année 1663 en évaluant l'impact de cette composante particulière de l'immigration féminine que sont les Filles du Roy.

Il est communément admis que les Filles du Roy — dont l'émigration planifiée, je le rappelle, a commencé juste après le 30 juin 1663 pour se prolonger jusqu'en 1673 — furent pour la plupart d'entre elles originaires de l'Île-de-France. L'historien S. DUMAS [45:44 et 124] soutient d'ailleurs que c'est l'effectif féminin de l'Île-de-France qui constitue l'apport le plus important à la population du Canada et par voie de conséquence à la diffusion et au rayonnement du parler françoys en faisant valoir que la source majeure de leur recrutement fut l'établissement de La Salpétrière qui dépendait de l'Hôpital Général créé par Louis XIV (DUMAS [45:47]).

L'application du concept méthodologique des statuts linguistiques au dénombrement nominal de l'effectif de locutrices d'origine connue que furent les 692 Filles du Roy retracées par Dumas (sur 774) confirme la prépondérance des francisantes (cf. tableau XV).

Il ressort avec netteté que l'arrivée des Filles du Roy sur le marché matrimonial de la Nouvelle-France après l'année 1663 n'a pu que donner encore plus d'ampleur au mouvement d'accélération de l'assimilation des masses non francisantes au parler françoys provoqué par l'exogamie des ménages.

Mais les Filles du Roy ne semblent guère avoir pesé plus que ça dans la balance: le fait français était d'ores et déjà inscrit dans la structure sociale du rapport de force linguistique de la colonie lorsqu'elles prirent mari.

Les Filles du Roy ont en quelque sorte servi de «révélateur» linguistique, si j'ose m'exprimer ainsi. Elles ont précipité l'émergence du parler françoys, langue maternelle, à partir d'une situation préexistante qui lui était largement acquise.

TABLEAU XV

Distribution des Filles du Roy selon le statut linguistique d'après les données de S. Dumas

Province d'origine	Filles du Roy patoisantes				Semi-patoisantes		Francisantes	
	Angoumois	5	Lyonnais	1	Bourgogne	13	Anjou	5
	Artois	2	Picardie	25	Lorraine	5	Beauce	19
	Aunis	53	Provence	1	Normandie	120	Berry	5
	Auvergne	1	Saintonge	9	Poitou	33	Brie	17
	Bretagne	13	Savoie	1			Champagne	32
	Flandre-Hainault	4	Allemagne	1			Île-de-France	219
	Franche-Cté	1	Angleterre	1			Maine	6
	Gascogne	3	Portugal	1			Nivernais	2
	Guyenne	2					Orléanais	24
							Perche	1
							Touraine	7
T	121				171		397	
%	17,9				24,7		57,4	

Il n'en demeure pas moins que c'est entre 1663 et 1673 que se scelle irréversiblement le sort des patois en Nouvelle-France sous l'effet de l'action conjuguée des deux sous-composantes de la population féminine, à savoir, celles des filles de la première génération et celle des Filles du Roy. Les premières, qui sont âgées de 7 ans et demi en moyenne en 1663 vont déverser sur le marché matrimonial de cette décade leur majorité de francisantes en même temps que les secondes car on se marie jeune et rapidement dans la colonie, comme chacun sait.

Une telle convergence n'a pu que faire basculer le rapport de force linguistique qui prévalait jusque là en faveur d'une situation de quasi-monopole du parler françoys. Le choc des patois va donc sensiblement s'atténuer après cette période pour ne plus avoir vers les années 1680-1685 qu'une résonance affaiblie. On peut dire qu'à partir de ce moment, le peuple canadien-français dispose de l'instrument essentiel de sa reconnaissance et de son identité : un même parler promu au rang de langue maternelle, le françoys, qu'il va désormais façonner à son image et adapter à la réalité du Nouveau-Monde.

Conclusion

Avant de s'octroyer le titre de langue nationale des Canadiens français, le parler françoys a dû investir la place-forte de leur langue maternelle. Cette entreprise a été tributaire de l'événement de la colonisation de la Nouvelle-France.

Il y a toujours, d'ailleurs, un événement qui influe sur le cours des choses à partir duquel on les interprète différemment. Ainsi, c'est l'événement de la Conquête qui à partir de 1763 a entraîné la promotion du français du Canada au rang de langue nationale des Canadiens français. C'est l'événement de la «révolution tranquille» des années '60 qui a entraîné la promotion du français du Canada au rang de langue d'État des Québécois.

Version moderne de notre identité première, le fait français en Amérique du nord n'est que la lointaine conséquence d'un phénomène historique de francisation. Ce phénomène s'est produit à une époque où la Nouvelle-France était sous l'emprise de la loi du désordre parmi les pratiques linguistiques de ses habitants.

De la clameur et de la confusion linguistique s'est alors dégagé avec une étonnante rapidité le nouvel ordre qui a régi le domaine de la langue maternelle.

En postulant une phénoménologie historique de cet événement, j'ai délibérément écarté toute explication se réclamant de l'environnement et des conditions particulières qui ont présidé à la colonisation et au peuplement du Canada. Ce ne sont ni l'Église ni le Roy ni l'armée qui furent les premiers responsables de la compétence linguistique des anciens Canadiens et de leurs comportements langagiers. Il n'y a que le sujet parlant qui le soit. Non pas que de telles explications soient fausses mais encore faut-il qu'elles soient adéquates à rendre compte du caractère à la fois individuel et collectif des pratiques linguistiques.

J'ai fait valoir que l'immigration française fut l'unique composante que l'explication traditionnelle a rendu responsable de l'ordre qui a régi le domaine de la langue maternelle. L'entreprise purement comptable de dénombrement des immigrants qui, au dix-septième siècle, ont vécu l'aventure de «passer de France en Canada», a eu pour effet non seulement d'occulter les sujets parlants qu'ils furent mais aussi de se rendre tributaire du cumul des années.

Certes, la loi du nombre s'est imposée mais pas selon une relation de simple équivalence entre immigrants d'origine provinciale différente et dialecte correspondant. Elle s'est imposée par le biais d'une dynamique subtile dans laquelle c'est la qualité qui prime la quantité puisque ce fut une minorité de francisants qui a imposé le monopole de son parler à une majorité de non-francisants. Là-dessus Brunot et bien d'autres se sont fourvoyés, lui qui estimait les patoisants minoritaires.

Convertir un élément de la population en véritable locuteur solidaire d'une masse parlante n'est pas une démarche qui va de soi lorsqu'elle concerne les quelque 3 000 habitants que comptait la Nouvelle-France en 1663.

Néanmoins, grâce au concept de statut linguistique, l'immigrant français qui a fait souche au Canada a pu être converti en locuteur natif authentique. Ils étaient 1 860, dont à peine 30% de femmes, en date du 30 juin de cette même année, aux dires de Trudel. Ils furent près de 5 000 pour tout le dix-septième siècle selon LORTIE [op. cit.]. Chacun de ces ancêtres s'est vu devenir solidaire d'une masse parlante grâce à l'application d'une procédure d'authentification des pratiques linguistiques. L'extrapolation qui l'accompagne s'est faite province par province, région par région, dans une France pétrie de tradition orale.

Restent les 1 175 autres habitants de la Nouvelle-France. Ceux-ci forment en 1663 une cohorte de 614 Canadiens et de 561 Canadiennes qu'une combinatoire prédictive du statut linguistique permet de convertir eux aussi en locuteurs natifs assimilables à une majorité ou une minorité. Pour des raisons stratégiques, cette opération de conversion ne s'est appliquée dans les faits qu'aux Canadiennes car sur le terrain de la langue maternelle, l'homme est loin de pouvoir rivaliser avec la femme. Ce n'est que justice pour celles qui, durant cette période de développement de la colonie, se trouvaient littéralement submergées par le sexe fort. À l'échelle d'une population entière, le déficit de la population féminine était extraordinairement élevé pouvant aller jusqu'à une seule femme pour deux hommes chez les adultes.

À quoi fallait-il alors s'attendre sinon qu'à une majorité de femmes francisantes en cette année 1663? Elles formaient alors 54% de cette population contre 23% respectivement pour les femmes patoisantes et semi-patoisantes.

Assurément, ce sont les femmes du Canada ancestral qui ont perpétré la francisation de la Nouvelle-France.

Parmi ces femmes, il se trouve que les mères — des immigrants pour la plupart, comme il se doit — forment des effectifs qui déjà cette année-là se font dépasser en nombre par ceux des filles francisantes (262 contre 322) et semi-patoisantes (114 contre 135) mais non par ceux des filles patoisantes. Ces dernières en effet, au nombre de 101, voient leur effectif diminuer par rapport à leurs mères qui sont au nombre de 151. Il y a donc une minorisation des forces patoisantes qui s'inscrit dans le rapport de force linguistique tel qu'il existait en 1663. Comme on peut s'en rendre compte, le terrain laissé vacant est simultanément annexé par les forces francisantes et à un moindre degré, par les forces semi-patoisantes.

Ainsi, le choc des patois s'est répercuté sur la première cohorte d'enfants nés au Canada accentuant du même coup le clivage entre la génération de la mère-patrie et celle du Nouveau-Monde.

Il en a alors résulté un déséquilibre marqué, pour ne pas dire décisif, qui joue à l'avantage du parler françoys et de sa transmission aux générations suivantes par les filles considérées comme mères potentielles. En effet, près de 58% de celles-ci furent des locutrices francisantes, à peine 24% des locutrices semi-patoisantes et seulement 18%, des locutrices patoisantes.

Indiscutablement, ce sont les femmes d'antan qui en dépit de leur dramatique infériorité numérique dans ce pays où les hommes occupent en toute exclusivité le terrain du défrichement, de la guerre à l'indienne, de la trappe en hiver et de la découverte de nouveaux territoires en été, vont s'avérer les actrices principales de l'émergence du parler françoys et de sa suprématie sur le terrain de la langue maternelle. Car à bien y penser, que pouvaient faire tant d'hommes pour la langue maternelle lorsque si peu de femmes ont tout fait? Rien, sinon «courir le bois» pour oublier leur condition de célibataire forcé.

L'explication d'une telle différence entre les générations réside dans les comportements individuels et collectifs qu'ont adoptés les Habitants. La nécessité de «s'entendre sans truchement» les a incités à subordonner leurs pratiques linguistiques à leurs pratiques sociales nouvelles.

Non seulement les Habitants n'ont-ils pas opposé de résistance au tropisme qu'exerçait sur eux la langue légitime incarnée par le parler françoys mais aussi en ont-ils favorisé la pénétration dans les foyers en pratiquant l'exogamie des ménages.

L'examen de cette pratique sociale révèle qu'en 1663 près de 70% de tous les foyers de la Nouvelle-France étaient composés de parents dont l'un ou l'autre des conjoints ou même les deux ensemble étaient d'authentiques locuteurs françoys. Il n'est pas étonnant dans ces conditions exceptionnelles d'échange linguistique, que le nombre des filles francisantes — et probablement des garçons — ait été en nette progression et celui des filles patoisantes, en nette régression.

Le parler françoys n'a donc guère eu besoin de la contribution subséquente d'une majorité francisante de Filles du Roy pour se rendre maître du terrain de la langue maternelle en Nouvelle-France. L'appui que celles-ci ont apporté à la cause du parler françoys n'a fait que précipiter les choses en sa faveur. L'extinction des patois en terre d'Amérique a dû survenir entre 1680 et 1700.

Des mesures aussi éloquentes, à mon avis du moins, m'incitent alors à imaginer quel a pu être un scénario plausible de l'émergence catastrophique du parler françoys en Nouvelle-France et de sa signification historique.

Nos ancêtres et les anciens Canadiens ont sûrement vécu le choc des patois. La Nouvelle-France, durant la première partie de son existence, a sûrement assisté à l'émergence de la langue maternelle du peuple canadien-français.

Le peuplement de la colonie sous le régime français fut à ses débuts une entreprise qui a eu pour effet de soustraire des locuteurs natifs à l'ordre séculaire des pratiques linguistiques de manière brutale et ponctuelle. Déracinés de leur pays natal, transplantés dans un espace vital aussi vierge que réduit, ces sujets parlants se sont heurtés aux difficultés de la communication verbale dans sa dimension la plus vernaculaire. Ils ont été les acteurs du désordre linguistique qui a dû régner pendant un certain temps. Mais le besoin impérieux d'en revenir à un ordre plus stable les a poussés à modifier leur comportement linguistique entre autres. Ils ont appris à devenir bilingues. Ils ont finalement opté pour l'unilinguisme françoys.

Ce faisant, ils ont définitivement rompu avec un passé qui, paradoxalement, suivait paisiblement son cours dans la Vieille-France. Un siècle après la réalisation effective du monopole linguistique en Nouvelle-France, un homme concevait la nécessité «d'uniformer» la langue en France même. Mais le projet de Grégoire de faire du français la langue véhiculaire de tous les Français — il n'est jamais question de langue maternelle dans son *Rapport* — sera inauguré dans des conditions fort différentes.

L'enquête de l'abbé Grégoire recèle en effet une dynamique profonde reliant la langue légitime de la France et les idiomes maternels des Français. Mais elle révèle davantage, à savoir, le clivage social que recouvre l'opposition *patois — françoys* telle que ses correspondants l'ont exprimée en leurs propres mots: clivage entre «les gros» et «les petits», entre «les anciens richards» et «le bas-peuple», entre les «personnes aisées» ou «gens de villes» et les «paysans» ou «gens de campagne», entre les «bourgeois» et la «populace», entre les habitants de la plaine et les habitants des montagnes.

Tel était l'ordre des clivages sociaux qui s'est perpétué dans le pays qui exactement cent ans après le choc des patois en Nouvelle-France se désistait de ses engagements en confiant aux Anglais le soin de veiller au destin du fait français en Amérique du Nord. Moins de trente ans après, un événement majeur allait modifier cet ordre. La Révolution de 1789 est un épisode qui eut sur les pratiques et les comportements linguistiques un effet comparable à l'événement de la colonisation du Canada. Les deux ont entraîné, à des périodes toutefois différentes, une polarisation nouvelle du locuteur natif.

La colonisation s'est accompagnée d'une dislocation de fait de l'ordre qui régissait jusqu'alors les clivages sociaux sous l'Ancien Régime. La Révolution française n'a pu faire mieux, on le sait, que modifier cet ordre sans l'éliminer puisqu'il a été récupéré par la bourgeoisie. Malgré cette différence d'amplitude dans la portée de ces deux événements, leur impact a été suffisant pour amorcer un mouvement de transformation profonde des comportements linguistiques entre autres, en créant des conditions extérieures nécessaires au changement des mentalités et des attitudes.

Ainsi, la colonisation du Canada sous l'Ancien Régime fut un événement «révolutionnaire» avant la lettre. Il augurait, d'une certaine manière, la révolution de l'ordre linguistique qui allait conduire à l'émergence de la langue nationale des Français.

En provoquant le mélange ponctuel des sujets parlants, la colonisation du Canada au dix-septième siècle a fabriqué le microcosme dans lequel a pu se dérouler avec succès l'expérience de la francisation selon les lois immuables de l'assimilation linguistique. La Révolution française a de son côté instauré un dispositif de mesures à portée socio-économique et politique considérable. Celles-ci ont abouti, à plus long terme il est vrai, au même résultat. S'il n'y a finalement pas eu de dislocation de l'ordre des clivages sociaux dans la France post-révolutionnaire, il s'est tout de même produit un brassage de la population ne serait-ce que par l'urbanisation croissante, la fréquentation scolaire, le service militaire obligatoire, l'industrialisation naissante et l'expansion du réseau routier. Il vaudrait la peine d'ailleurs, d'en savoir plus sur la relation qui existe éventuellement entre l'exogamie des ménages et la francisation des Français.

En France comme au Canada, la langue s'est imprégnée de l'héritage que lui ont laissé ces deux événements. Le discours révolutionnaire a donné à la langue française son visage de langue nationale tandis que la diversité dialectale a profondément marqué la forme commune qu'a prise le français du Canada. L'homogénéité remarquable de notre parler se présente alors comme la conséquence de l'uniformisation de la structure sociale dont s'est doté le peuple canadien-français et sous l'emprise de laquelle il a survécu jusqu'à la prise en main de son destin.

Appendice

Cet appendice contient les précisions relatives à la procédure suivie lors du traitement des données de même qu'un certain nombre de tableaux faisant état des résultats bruts obtenus.

La détermination du statut linguistique de chaque individu a été menée à partir du recensement nominal de la population du Canada de l'année 1663 telle que l'a établie l'historien Marcel Trudel dans l'ouvrage qui sert ici de référence. Ce sont les renseignements contenus dans ce recensement à savoir le sexe, l'âge, le statut matrimonial, le statut professionnel et l'origine provinciale qui ont été utilisés pour les besoins de ce livre.

Sont exclues de l'analyse quantitative les femmes que Trudel a assimilées aux gens d'église.

Pour chaque individu né en France, on procède par attribution du statut linguistique correspondant à celui de sa province d'origine.

Pour chaque fille née au Canada, on procède par assignation du statut linguistique prédit par la combinatoire.

Toutes les données fournies par Trudel ont été scrupuleusement respectées même lorsque certains renseignements faisant explicitement défaut pouvaient se déduire à l'évidence comme dans le cas, par exemple, d'enfants sans lieu de naissance déclaré bien que nés entre frères ou sœurs d'origine connue.

À défaut de renseignements sur l'origine provinciale de l'un des parents nés en France, c'est le statut linguistique de l'autre qui est automatiquement assigné à la descendance féminine, la combinatoire ne pouvant pas s'appliquer dans ce cas.

Les parents qui sont identifiés comme décédés par Trudel interviennent dans le calcul du statut linguistique de la descendance dans la mesure où l'on connaît le leur.

Cinquante-quatre filles (9,98%) ont vu leur statut linguistique assigné par référence exclusive à celui de leur père.

Dix-neuf filles (3,41%) ont vu leur statut linguistique assigné par référence exclusive à celui de leur mère.

L'assignation du statut par référence monoparentale concerne 13% de la population des filles.

Quarante-sept filles (8,5%) tombent sous le coup d'une mère décédée.

Dans le cas des enfants de veuve remariée, le statut de la fille est calculé en tenant compte de celui du père dont elle est l'enfant et non de celui du nouveau mari. La même procédure est appliquée dans le cas des filles dont le père est veuf mais remarié.

Enfin, on a assigné le statut linguistique de francisantes aux quatre Amérindiennes que Trudel mentionne dans son recensement en raison de l'éducation qu'elles ont dû recevoir.

Les tableaux suivants présentent les résultats bruts obtenus pour chaque région gouvernementale. Ce sont dans l'ordre :
1.   TABLEAU XVI: Décompte de la population des filles selon l'origine ethnique et le statut linguistique.
2.   TABLEAU XVII: Décompte de la population des femmes mariées selon l'origine ethnique et le statut linguistique.
3.   TABLEAU XVIII: Distribution des couples selon le statut linguistique des conjoints, région de Québec.
4.   TABLEAU X: Distribution des couples selon le statut linguistique des conjoints, région de Trois-Rivières.
5.   TABLEAU XX: Distribution des couples selon le statut linguistique des conjoints, région de Montréal.

Tᴀʙʟᴇᴀᴜ XVI

Décompte de la population des filles selon l'origine ethnique et le statut linguistique

		P	SP	FR	IND	Total
Montréal	Origine française	4	1	0	0	5
	Origine canadienne	13	23	51	6	93
	Origine inconnue	0	0	0	2	2
	Total région	17	24	51	8	100
Trois-Rivières	Origine française	0	1	1	0	2
	Origine canadienne	21	24	23	7	75
	Origine inconnue	1	2	9	0	12
	Total région	22	27	33	7	89
Québec	Origine française	4	2	7	0	13
	Origine canadienne	46	70	207	10	333
	Origine inconnue	6	6	9	2	23
	Total région	56	78	223	12	369
	Total par statut	95	129	307	27	
	Total colonie			558		

TABLEAU XVII

**Décompte de la population des femmes mariées
selon l'origine ethnique et le statut linguistique**

		P	SP	FR	IND	Total
Montréal	Origine française	21	11	53	12	97
	Origine canadienne	0	0	2	1	3
	Origine autre ou inconnue	0	0	0	4	4
	Total région	21	11	55	17	104
Trois-Rivières	Origine française	20	15	10	8	53
	Origine canadienne	1	0	3	0	4
	Origine autre ou inconnue	0	0	1	7	8
	Total région	21	15	14	15	65
Québec	Origine française	74	52	95	33	254
	Origine canadienne	3	11	39	7	60
	Origine autre ou inconnue	1	1	3	39	44
	Total région	78	64	137	79	358
Total par statut		120	90	206	111	
Total colonie			527			

TABLEAU XVIII

**Distribution des couples selon le statut linguistique
des conjoints pour la région de Québec**

		Épouse patoisante	Épouse s.-patoisante	Épouse francisante	Indéterminée
Époux	P	28	10	18	10
	SP	19	20	37	16
	FR	20	27	68	17
	IND	5	4	3	17
Total: 319 couples					

TABLEAU XIX

**Distribution des couples selon le statut linguistique
des conjoints pour la région de Trois-Rivières**

		Épouse patoisante	Épouse s.-patoisante	Épouse francisante	Indéterminée
Époux	P	7	2	2	1
	SP	4	4	3	0
	FR	7	5	7	4
	IND	1	3	2	8
Total: 60 couples					

TABLEAU XX

Distribution des couples selon le statut linguistique des conjoints pour la région de Montréal

		Épouse patoisante	Épouse s.-patoisante	Épouse francisante	Indéterminée
Époux	P	6	0	7	3
	SP	2	7	7	2
	FR	11	2	29	2
	IND	1	1	2	9
Total: 91 couples					

Annexe

QUESTIONNAIRE ADRESSÉ PAR GRÉGOIRE

1. L'usage de la langue française est-elle universel dans dans votre contrée. Y parle-t-on un ou plusieurs patois?
2. Ce patois a-t-il une origine ancienne et connue?
3. A-t-il beaucoup de termes radicaux, beaucoup de termes composés?
4. Y trouve-t-on des mots dérivés du celtique, du grec, du latin, et en général des langues anciennes et modernes?
5. A-t-il une affinité marquée avec le français, avec le dialecte des contrées voisines, avec celui de certains lieux éloignés, où des émigrants, des colons de votre contrée, sont allés anciennement s'établir?
6. En quoi s'éloigne-t-il le plus de l'idiome national? n'est-ce pas spécialement pour les noms des plantes, des maladies, les termes des arts et métiers, des instruments aratoires, des diverses espèces de grains, du commerce et du droit coutumier? On désirerait avoir cette nomenclature.
7. Y trouve-t-on fréquemment plusieurs mots pour désigner la même chose?
8. Pour quels genres de choses, d'occupations, de passions, ce patois est-il plus abondant?
9. A-t-il beaucoup de mots pour exprimer les nuances des idées et les objets intellectuels?

10. A-t-il beaucoup de termes contraires à la pudeur? Ce que l'on doit en inférer relativement à la pureté ou à la corruption des mœurs?

11. A-t-il beaucoup de jurements et d'expressions particulières aux grands mouvements de colère?

12. Trouve-t-on dans ce patois des termes, des locutions très-énergiques, et même qui manquent à l'idiome français?

13. Les finales sont-elles plus communément voyelles que consonnes?

14. Quel est le caractère de la prononciation? Est-elle gutturale, sifflante, douce, peu ou fortement accentuée?

15. L'écriture de ce patois a-t-elle des traits, des caractères autres que le français?

16. Ce patois varie-t-il beaucoup de village à village?

17. Le parle-t-on dans les villes?

18. Quelle est l'étendue territoriale où il est usité?

19. Les campagnards savent-ils également s'énoncer en français?

20. Prêchait-on jadis en patois? Cet usage a-t-il cessé?

21. A-t-on des grammaires et des dictionnaires de ce dialecte?

22. Trouve-t-on des inscriptions patoises dans les églises, les cimetières, les places publiques, etc.?

23. Avez-vous des ouvrages en patois, imprimés ou manuscrits, anciens ou modernes, comme droit coutumier, actes publics, chroniques, prières, sermons, livres ascétiques, cantiques, chansons, almanachs, poésie, traductions, etc.?

24. Quel est le mérite de ces divers ouvrages?

25. Serait-il possible de se les procurer facilement?

26. Avez-vous beaucoup de proverbes patois particuliers à votre dialecte et à votre contrée?

27. Quelle est l'influence respective du patois sur les mœurs, et de celles-ci sur votre dialecte?

28. Remarque-t-on qu'il se rapproche insensiblement de l'idiome français, que certains mots disparaissent, et depuis quand?

29. Quelle serait l'importance religieuse et politique de détruire entièrement ce patois?

30. Quels en seraient les moyens?

31. Dans les écoles de campagne, l'enseignement se fait-il en français? les livres sont-ils uniformes?

32. Chaque village est-il pourvu de maîtres et de maitresses d'écoles?

33. Outre l'art de lire, d'écrire, de chiffrer et le catéchisme, enseigne-t-on autre chose dans ces écoles?

34. Sont-elles assidûment surveillées par MM. les Curés et Vicaires?

35. Ont-ils un assortiment de livres pour prêter à leurs paroissiens?

36. Les gens de la campagne ont-ils le goût de la lecture?

37. Quelles espèces de livres trouve-t-on plus communément chez eux?

38. Ont-ils beaucoup de préjugés, et dans quel genre?

39. Depuis une vingtaine d'années, sont-ils plus éclairés? leurs mœurs sont-elles plus dépravées? leurs principes religieux ne sont-ils pas affaiblis?

40. Quels sont les causes et quels seraient les remèdes à ces maux?

41. Quels effets moraux produit chez eux la révolution actuelle?

42. Trouve-t-on chez eux du patriotisme, ou seulement les affections qu'inspire l'intérêt personnel?

43. Les ecclésiastiques et les ci-devant nobles ne sont-ils pas en butte aux injures grossières, aux outrages des paysans et au despotisme des maires et des municipalités?

Bibliographie

1. ANNUAIRE DU QUÉBEC 1977-1978, Gouvernement du Québec: l'Éditeur officiel du Québec.

2. ASSELIN, Claire et Anne MCLAUGHLIN [1981] «Patois ou français: la langue de la Nouvelle-France au 17e siècle» in *Langage et Société,* 17, pp. 3-58.

3. AUREMBOU, Marie-Rose [1972] «Les limites de la Beauce et du Perche» in *Les Dialectes de France au Moyen-Âge et aujourd'hui,* Paris: Klincksieck.

4. AUREMBOU, Marie-Rose (SIMONI) [1973] «Le Français régional en Île-de-France et dans l'Orléanais» in *Langue française* 18, pp. 126-136.

5. BAILLARGEON, Mireille et Claire BENJAMIN [1977] «Les Futurs linguistiques possibles de Montréal: aspects méthodologiques» in *Cahiers québécois de démographie* 6 - 3.

6. BAILLARGEON, Mireille et Claire BENJAMIN [1981] *Les Futurs possibles de la région de Montréal en 2001,* Ministère de l'immigration du Québec, col. «Études et Documents» n° 9.

7. BALIBAR, Renée et Dominique LAPORTE [1974] *Le Français national,* Paris: Hachette, 224 p.

8. BARBAUD, Philippe [1982] «La Langue de l'État — l'état de la langue» in *La Norme linguistique,* Conseil de la langue française, Gouvernement du Québec: l'Éditeur officiel du Québec.

9. BARBEAU, Victor [1963] *Le Parler français du Canada,* Montréal: les Publications de l'Académie canadienne-française, 252 p.

10. BERGERON, Léandre [1981] *Dictionnaire de la langue québécoise,* Montréal: VLB Éditeur, 575 p.

11. BORDELEAU, Yvan [1978] «Les Immigrants au Québec et leurs choix linguistiques» in *Annuaire du Québec 1977-1978,* pp. 324-334.

12. BOUCHARD, René (réd.) [1980] *Culture populaire et Littératures au Québec,* Saratoga (Californie): Amna Libri & Co., 310 p.

13. BOURDIEU, Pierre et Luc BOLTANSKI [1975] «Le Fétichisme de la langue» in *Actes de la Recherche en Sciences sociales* 4, pp. 2-31.

14. BRASSEUR, Patrice «Les Principales caractéristiques phonétiques des parlers normands de Jersey, Sercq, Guernesey et Magneville (canton de Bricquebec, Manche)» in *Annales de Normandie,* XXVIII-1, pp. 49-64 et XXVIII-3, pp. 275-303.

15. BRUNOT, Ferdinand [1967] *Histoire de la langue française,* Paris: Armand Colin.

16. CAILLAUD, René [1945] *Normandie, Poitou et Canada français,* Montréal: Fides, 119 p.

17. CALVET, Louis-Jean [1981] *Les Langues véhiculaires.* Paris: Presses universitaires de France, col. *Que sais-je?* 127 p.

18. CAMPEAU, Lucien [1970] «Un Témoignage de 1651 sur la Nouvelle-France» in *Revue d'Histoire de l'Amérique française* XXIII - 4, pp. 601-612.

19. CAMPROUX, Charles [1979] *Les Langues romanes.* Paris: Presses universitaires de France, col. *Que sais-je?* 125 p.

20. CAPUT, Jean-Pol [1972] *La langue française. Histoire d'une institution, tome I: 842 - 1715.* Paris: Larousse, 319 p.

21. CASTELLANI, Arrigo [1972] «L'Ancien poitevin et le problème linguistique des Serments de Strasbourg» in *Les Dialectes de France au Moyen-Âge et aujourd'hui.* Paris: Klincksieck.

22. CASTONGUAY, Charles [1976] «Les Transferts linguistiques au foyer» in *Recherches sociographiques* XVII - 3, pp. 341-351.

23. CASTONGUAY, Charles [1977] «Le Mécanisme du transfert linguistique» in *Cahiers québécois de démographie* VI - 3, pp. 137-155.

24. CASTONGUAY, Charles [1979a] «L'Exogamie précoce et la prévision des taux de transfert linguistique» in *Recherches sociographiques* XX - 1, pp. 403-408.

25. CASTONGUAY, Charles [1979b] «Exogamie et anglicisation chez les minorités canadiennes-françaises» in *Revue canadienne de sociologie et d'anthropologie* XVI - 1, pp. 21—31.

26. CASTONGUAY, Charles et Calvin VELTMAN [1980] «L'orientation linguistique des mariages mixtes dans la région de Montréal» in *Recherches sociographiques* XXI - 3, pp. 225-251.

27. CELLARD, Jacques [1979] *La Vie du langage,* Paris:Le Robert, col. «*L'Ordre des mots*».

28. De CERTEAU, Michel, Dominique JULIA et Jacques REVEL [1975] *Une Politique de la langue: la Révolution française et les patois. L'enquête de Grégoire,* Paris: Gallimard, 317 p.

29. CHARBONNEAU, Hubert [1973] «La Reconstitution de la population au Canada au 30 juin 1663 suivant Marcel Trudel» in *Revue d'Histoire de l'Amérique française* 27 - 3, pp. 408-416.

30. CHARBONNEAU, Hubert [1975] *Vie et mort de nos Ancêtres.* Montréal: Presses de l'Université de Montréal, 267 p.

31. CHARBONNEAU, Hubert et Robert MAHEU [1973] *Les Aspects démographiques de la question linguistique.* Synthèse S3 réalisée pour le compte de la Commission d'enquête sur la situation de la langue française et sur les droits linguistiques au Québec, Québec: l'Éditeur officiel du Québec.

32. CHARLEVOIX, le Père de... [1744] *Histoire et description générale de la Nouvelle-France avec le Journal historique (...)* à Paris chez Didot.

33. CHAURAND, Jacques [1972] *Introduction à la dialectologie française.* Paris: Bordas, col. *Études,* 288 p.

34. COHEN, Marcel [1973] *L'Histoire d'une langue: le français.* Paris: Éditions sociales, 513 p.

35. DAUZAT, Albert [1927] *Les Patois. Évolution, classification, étude.* Paris: Delagrave, 207 p.

36. DAUZAT, Albert [1941] *Le Village et le paysan de France.* Paris: Gallimard, 219 p.

37. DAUZAT, Albert [1967] *Tableau de la langue française.* Paris: Payot, 295 p.

38. DAVIAULT, Pierre [1972] «Le Français du Canada reste solide» in BOUTHILLIER, Guy et Jean MENAUD [1972] *Le Choc des Langues au Québec 1760-1970.* Montréal: les Presses de l'Université du Québec, 767 p.

39. DICTIONNAIRE BIOGRAPHIQUE DU CANADA [1966] Québec: les Presses de l'Université Laval.

40. DIDIER, René [1973] *Le Processus des choix linguistiques des immigrants au Québec,* étude E6 réalisée pour le compte de la Commission d'enquête sur la situation linguistique de la langue française et sur les droits linguistiques au Québec. Québec: L'Éditeur officiel du Québec, 485 p.

41. DUCHESNE, Louis [1977] «Analyse descriptive du bilinguisme au Québec selon la langue maternelle en 1951, 1961 et 1971» in *Cahiers québécois de démographie* VI - 3.

42. DUCROT, Oswald [1973] *La preuve et le dire.* Paris: Mame.

43. DUCROT, Oswald et Tzvetan TODOROV [1972] *Dictionnaire encyclopédique des sciences du langage.* Paris: Le Seuil, col. *Points,* 470 p.

44. DULONG, Gaston [1973] «Histoire du français en Amérique du Nord» in SEBEOK, Th. (réd.) *Current Trends in Linguistics* X. La Haye: Mouton, pp. 407-421.

45. DUMAS, Sylvio [1972] *Les Filles du roi en Nouvelle-France.* Québec: la Société historique du Québec, col. *Cahiers d'Histoire* n° 24, 382 p.

46. DUPÂQUIER, Jacques [1979] *La Population francaise aux XVIIe et XVIIIe siècles.* Paris: les Presses universitaires de France, col. *Que sais-je?*

47. DUPONT, André [1977] «Seconde lettre de Bretagne» in *Parlers et traditions populaires de Normandie* X - 38, pp. 44-49.

48. DURAND, Marguerite [1936] *Le Genre grammatical en français parlé de Paris et dans la région parisienne.* Paris: Bibliothèque du français moderne.

49. FONDET, Claire [1980] *Dialectologie de l'Essonne et de ses environs immédiats,* thèse doctorale, université de Dijon. Lille: Atelier Reproduction des thèses, Université de Lille III, 2 tomes.

50. FOURQUET, Jean [1968] «Langue - dialecte - patois» in *Le Langage.* Paris: Gallimard, col. *La Pléiade,* pp. 571-596.

51. FURET, François et Jacques OZOUF [1977] *Lire et écrire. L'alphabétisation des Français de Calvin à Jules Ferry.* Paris: Éditions de Minuit, 2 tomes.

52. GHIDAINE, Jean [1967] «CH et J en saintongeais et en français canadien» in *Études de linguistique franco-canadienne,* J.-D. Gendron et G. Straka, réd. Paris: Klincksieck et Québec: les Presses de l'université Laval.

53. GLOSSAIRE DU PARLER FRANÇAIS AU CANADA [1968] Société du parler français au Canada. Québec: les Presses de l'université Laval.

54. GODARD, Jean [1620] *La Langue française* à Lyon par Nicolas Jullieron. Réimprimé en fac-similé par Slatkine Reprints (Genève, 1972).

55. GODBOUT, Archange [1946] «Nos Hérédités provinciales françaises» in *Les Archives de Folklore* I, pp. 14-40.

56. GODBOUT, Archange [1970] *Émigration rochelaise en Nouvelle-France.* Québec: Archives nationales du Québec, 276 p.

57. GRÉGOIRE, Henri-Baptiste [1969] *Lettres à Grégoire sur les patois de France.* Réimpression en fac-similé chez Slatkine Reprints (Genève) de l'édition faite en 1880 par A. Gazier à Paris chez Pédone.

58. GUIRAUD, Pierre [1978] *Patois et dialectes français*. Paris: les Presses universitaires de France, col. *Que sais-je?*

59. HENRIPIN, Jacques [1954] *La Population canadienne au début du XVIIIe siècle*. Paris: les Presses universitaires de France.

60. HORIOT, Brigitte [1973] «Limites et caractéristiques dialectales dans l'Atlas linguistique de l'Ouest» in *Les Dialectes romans de France*. Paris: C.N.R.S., pp. 255-288.

61. JEORGER, M. [1977] «L'Alphabétisation dans l'ancien diocèse de Rouen au XVIIe et au XVIIIe siècles» in FURET et OZOUF [1977, t. II], pp. 101-151.

62. JUNEAU, Marcel [1972] *Contribution à l'histoire de la prononciation française au Québec. Études des graphies des documents d'archives*. Québec: les Presses de l'université Laval, 311 p.

63. JUNEAU, Marcel et Claude POIRIER [1973] *Les Livres de comptes d'un menier québécois (fin 17e - début 18e siècle). Édition avec étude linguistique*. Québec: les Presses de l'université Laval, 229 p.

64. JUNEAU, Marcel et R. L'HEUREUX [1975] «La Langue de deux meuniers québécois du milieu du 19e siècle» in *Travaux de linguistique québécoise*. Québec: les Presses de l'Université Laval, t. I, pp. 55-95.

65. KUHN, Thomas S. [1972] *La Structure des révolutions scientifiques*. Paris: Flammarion, 246 p.; trad. de *The Structure of Scientific Revolutions*. Chicago: The University of Chicago Press [1962].

66. LABOV, William [1978] *Le Parler ordinaire*. Paris: les Éditions de Minuit. 2 vol.; trad. *Language in the Inner City: Studies in the Black English Vernacular*. Philadelphie: University of Pensylvania Press [1972].

67. LALONDE, Michèle [1979] *Défense et illustration de la langue québécoise*. Paris: Seghers / Laffont, col. «Change», pp. 10-34.

68. LANCTÔT, Gustave [1952] *Filles de joie ou filles du Roi?* Montréal: les éditions Chantecler, 230 p.

69. LANGAGES 61 *Bilinguisme et diglossie,* réd. Jean-Baptiste Marcellesi [1981].

70. LANGUE FRANÇAISE 18 *Les Parlers régionaux,* réd. Alain Lerond [1973].

71. LEFEBVRE, Gilles [1979] «Le Parler français de Jersey (Île-de-la-Manche): essai d'ethnolinguistique» in *Vingt-cinq ans de linguistique au Canada. Hommage à Jean-Paul Vinay*. Montréal: Centre Éducatif et Culturel, pp. 201-234.

72. LÉON, Pierre [1974] «Attitudes et comportements linguistiques. Problèmes d'acculturation et d'identité» in *Études de linguistique appliqué* 15, pp. 87-102.

73. LÉON, Pierre [1976] «Attitudes et comportements linguistiques. Problèmes d'acculturation et d'identité» in *La Sociolinguistique au Québec. Cahier de linguistique N° 6*. Montréal : Presses de l'Université du Québec, pp. 199-221.

74. LE TENNEUR, René [1973] *Les Normands et les origines du Canada français*. Paris : Ocep.

75. LORTIE, Stanislas-A. (abbé) [1914] «Origine des premiers colons canadiens-français» in *Premier congrès de la langue française,* Société du parler français au Canada. Québec : Imprimerie de l'action sociale limitée.

76. LORTIE, Stanislas-A. et Adjutor RIVARD [1903] *L'origine et le parler des Canadiens français*. Paris : Champion.

77. MACKEY, William F. *Bilinguisme et contact des langues*. Paris : Klincksieck, 539 p.

78. MARTIN, Ernest [1947] «Notre langue en Amérique du Nord» in *Vie française* 10, 76.

79. MARTELLIÈRE, Paul [1893] *Glossaire du vendômois*. Orléans : Herluison, 364 p.

80. MASSIGNON, Geneviève [1962] *Les Parlers français d'Acadie. Enquête linguistique*. Paris : Klincksieck, 2 vol.

81. MCRAE, Kenneth D. [1968] «Structure historique du Canada» in *Les Enfants de l'Europe*, réd. Louis Hartz. Paris : Le Seuil; trad. de *The Foundings of New Societies*. New-York, N.Y. : Harcourt, Brace and World Inc. [1964].

82. MENIÈRE, Charles [1880] *Glossaire angevin étymologique comparé avec différents dialectes*. Marseille : Laffitte Reprints [1979].

83. MOISY, Henri [1887] *Dictionnaire de patois normand*. Caen, 864 p.

84. NAHOUM, V. [1977] «Chapitre 5. En Champagne : signatures au mariage (XVIIe - XVIIIe siècles)» in FURET, F. et J. OZOUF [*op. cit.* : t. 2] pp. 187-216.

85. NETTER, M.-L. [1977] «L'Alphabétisation en Seine-et-Marne au XVIIIe et au début du XIXe siècle» in FURET, F. et J. OZOUF [*op. cit.* : t. 2], pp. 217-244.

86. OVERBEKE, Maurice (van) [1972] *Introduction au problème du bilinguisme*. Paris / Bruxelles : Fernand Nathan, 214 p.

87. PARLERS ET TRADITIONS POPULAIRES DE NORMANDIE [1978], 10 - 40.

88. PEI, Mario [1954] *A Dictionnary of Linguistics*. New-York : Philosophical Library, 238 p.

89. PEYRE, Henry [1933] *La Royauté et les langues provinciales.* Paris: Les Presses modernes.

90. POIRIER, Claude [1975] «La Prononciation québécoise ancienne d'après les graphies d'un notaire du 17e siècle» in *Travaux de linguistique québécoise,* t. I. Québec: Presses de l'Université Laval, pp. 193-256.

91. POIRIER, Claude [1980] «Le Lexique québécois: son évolution, ses composantes» in BOUCHARD, René [*op. cit.*], pp. 43-80.

92. POTTIER, Bernard [1968] «La Situation linguistique en France» in *Le Langage.* Paris: Gallimard, col. «La Pléiade», pp. 1144-1169.

93. POUSSOU, J.-P. [1977] «Recherches sur l'alphabétisation de l'Aquitaine au XVIIIe siècle» in FURET, F. et J. OZOUF [*op. cit.*: t. 2], pp. 294-347.

94. PRUDENT, Lambert-Félix [1981] «Diglossie et interlecte» in *Langages* 61, pp. 13-38.

95. RIVARD, Adjutor [1914a] «Influence des dialectes français sur le parler franco-canadien» in *Premier congrès de la langue française au Canada,* Société du parler français au Canada. Québec: Imprimerie de l'action sociale limitée, pp. 16-24.

96. RIVARD, Adjutor [1914b] «Parler et degré d'instruction des premiers colons canadiens-français» in *Premier congrès de la langue française au Canada,* Société du parler français au Canada. Québec: Imprimerie de l'action sociale limitée, pp. 10-15.

97. RIVARD, Adjutor [1914c] *Études sur les parlers de France au Canada.* Québec: chez Garneau, 281 p.

98. SAINT-JACQUES, Bernard [1976] *Aspects sociolinguistiques du bilinguisme canadien* B-59. Québec: Centre international de recherches sur le bilinguisme.

99. SEBEOK, Th. A. [1973] *Current Trends in Linguistics in North America,* vol. 10. La Haye / Paris: Mouton, 745 p.

100. SÉGUIN, Jean-Pierre [1972] *La Langue française au XVIIIe siècle.* Paris: Bordas, 270 p.

101. TABOURET-KELLER, Andrée et Frédéric LUCKEL [1981] «Maintien de l'alsacien et adoption du français. Éléments de la situation linguistique en milieu rural en Alsace» in *Langages* 61.

102. TAILLON, Léopold [1967] *Diversité des langues et bilinguisme.* Montréal: les Éditions de l'Atelier, 166 p.

103. TISSIER, Jean [1884] *Dictionnaire berrichon.* Marseille: Laffitte Reprints [1980].

104. TRUDEL, Marcel [1973] *La population du Canada en 1663.* Montréal: Fides, 368 p.

105. VENDRYES, Joseph [1923] *La Langue. Introduction linguistique à l'histoire.* Paris: Albin Michel (2e édition: 1968), 444 p.

106. VERGUIN, Joseph [1968] «La Situation linguistique du monde contemporain» in *Le Langage.* Paris: Gallimard, col. «La Pléiade», pp. 1093-1143.

107. VINAY, Jean-Paul [1973] «Le Français en Amérique du Nord: problèmes et réalisations» in SEBEOK, Th. (réd.), pp. 323-406.

108. WARNANT, Léon [1973] «Dialectes du français et français régionaux» in *Langue française* 18, pp. 100-125.

109. WARTBURG, W. V. [1962] *Évolution et structure de la langue française.* Berne: Francke (6e éd.).

110. WYATT, Gertrud L. [1973] *La rélation mère-enfant et l'acquisition du langage.* Bruxelles: C. Dessard, 424 p.

Achevé d'imprimer
en avril 1984 sur les presses
des Ateliers Graphiques Marc Veilleux Inc.
Cap-Saint-Ignace, Qué.